Je selfie donc je suis

Elsa Godart

Je selfie
donc je suis

Les métamorphoses du moi
à l'ère du virtuel

Albin Michel

À Lahire Charlie,
Parce que même seul, la vie peut mener loin...

« Ce n'est pas une image juste, c'est juste une image. »

Jean-Luc Godard, *Le Vent d'est* (1970)

« La société immonde se rua, comme un seul Narcisse,
pour contempler sa triviale image sur le métal.
Une folie, un fanatisme extraordinaire s'empara
de tous ces nouveaux adorateurs du soleil.
D'étranges abominations se produisirent ».

Charles Baudelaire,
« Le public moderne et la photographie »,
Salon de 1859

Introduction

Au cours d'une soirée avec des amis, l'un d'entre eux propose un tour de table avec pour thème : « Nos moments de folie. » Chacun évoque son point de rupture avec le « normal ». Vient mon tour. J'hésite à répondre. Saisissant mon esquive, ce même ami me lance : « Moi, je sais quel est ton grain de folie : le selfie ! Il suffit de voir ta page Facebook ! »

Je suis interloquée et même un peu piquée. Je ne réagis pas tout de suite. Ces paroles m'invitent dans un premier temps à réfléchir sur mon narcissisme : est-ce là un point de « folie » où se jouerait l'expression d'un ego débordant et démesuré, ou ai-je été la victime plus ou moins consentante d'un phénomène de mode incontournable ? Puis, dans un second temps, je m'aperçois que je connais peu de chose sur le « selfie », c'est à peine si j'identifie ce terme. J'en ai entendu parler comme tout le monde, mais je ne me suis jamais attardée sur ce qui apparaît pourtant comme un « phénomène » socioculturel.

Mais quand, le lendemain, je décide de pousser le questionnement plus avant, je me rends compte qu'il n'existe

11

aucune véritable réflexion sur le sujet. C'est ainsi que je décide de partir à la conquête du selfie dans ce qu'il a à dire au-delà de ce qu'il montre, et de lever le voile sur un événement emblématique d'une société en pleine mutation.

De quoi donc parle-t-on quand on prononce le mot « selfie » ? Sur le Web, on apprend qu'il serait apparu en 2002 sur un forum en ligne australien (ABC Online), dérivé du terme anglais *self*, qui signifie « soi » et parfois « étant seul », auquel on aurait ajouté le suffixe argotique et affectif « ie ». De là, révolution technologique aidant, il s'est rapidement étendu au monde entier. En 2005, le designer et photographe Jim Krause lui consacrait déjà un manuel de photographies, même si ce n'est qu'en 2012 que son usage est devenu courant. En 2013, *selfie* a été élu « mot de l'année » dans les dictionnaires d'Oxford et, en 2015, il entre dans les dictionnaires français Larousse et en 2016 dans le Petit Robert. Désormais, impossible de faire sans.

En poursuivant mon questionnement sur le selfie, j'avance à tâtons dans une gigantesque masse d'informations. Il suffit de taper « selfie » sur Google pour que des dizaines d'articles apparaissent, sans grand rapport les uns avec les autres : de « la reine d'Angleterre qui s'invite sur un selfie », au grille-pain insolite qui imprime votre selfie sur vos tartines, en passant par « le selfie d'une ado à Auschwitz qui ne passe pas », sans oublier l'investissement exorbitant de 256 millions d'euros dans le selfie par Sony en 2014, ou encore la captation d'un instant « extraordinaire » – un couple qui se photographie au moment où un éclair tombe à quelques mètres de lui –, le selfie ne cesse de faire « le buzz ». Il en ressort qu'il s'agit d'une pratique sociale mouvante, souvent insaisissable et peu généralisable, et qui pourtant n'en finit pas de poser les mêmes questions : celles du rapport à soi, à l'image, aux autres, au monde, aux nouvelles technologies, de la relation qu'il introduit entre le sujet et l'objet, de son rôle socialisant ou ludique... Sous ses aspects divers et anodins, il est devenu l'emblème d'une société en pleine mutation, dans laquelle la jeunesse a pris le pouvoir grâce à sa maîtrise des nouvelles technologies. Il est l'indice du tournant décisif que connaît depuis quelques années notre monde avec l'arrivée de l'ère du numérique. Ainsi, il est indispensable pour comprendre le « phénomène selfie » de le replacer dans une réflexion plus globale sur ce qui se joue dans ce territoire en constante évolution qu'est le virtuel, et plus particulièrement au niveau des interactions humaines.

Il ne s'agit bien entendu pas ici de porter un regard comparatif sur le monde d'avant Internet et celui d'après. Le « mythe » du « c'était mieux avant » n'est d'aucun intérêt pour nourrir une réflexion. Ce qui en offre davantage, c'est d'observer comment une attitude au premier abord simple et spontanée peut être révélatrice de métamorphoses importantes dans le rapport que l'on entretient avec soi-même et avec les autres, et d'attirer l'attention sur des pratiques que l'on fait presque sans y penser, comme celle de tapoter sur l'écran de son mobile à longueur de journée, un peu comme si nous étions emportés quasi « malgré nous » dans le flot de la virtualité, comme si nous étions sans le vouloir les « jouets » de notre smartphone. Un constat aussi passionnant qu'inquiétant.

Ainsi, ce moment où le sujet humain a basculé par le biais du numérique dans un nouveau rapport à lui-même et au monde, on pourrait aujourd'hui l'appeler le *stade du selfie*, tant c'est moins, en réalité, le monde qui a changé que la perception que nous en avons, et tant ce changement de perception est illustré par l'immixtion entre lui et nous de cet objet hybride omniprésent, à la fois téléphone, écran, appareil photo et ordinateur, que nous qualifions d'« intelligent » et que nous appelons smartphone. Cet objet singulier est devenu le trait d'union entre les autres et nous, entre ce que nous ressentons et ce que nous donnons à voir, entre *je* et *tu* : dans quelle mesure est-il en train d'inaugurer une nouvelle relation entre les individus ? Surtout quand on considère qu'il se résume essentiellement à un *écran*, c'est-à-dire à la production d'images, et qu'il est aussi ce qui affiche une partie de *moi*. Et de quel *moi* s'agit-il ? Que dit-il de *moi* ? Réaliser une photo de soi et la poster sur un réseau social en attendant qu'elle soit *liked* entraîne-t-il une modification du rapport à soi et, plus largement, un changement en profondeur de notre *moi* ? Cela modifie-t-il notre lien à l'autre ?

Le selfie, qu'au Québec on traduit par « egoportrait » ou « autophoto », rassemble à lui seul tous ces questionnements et symbolise toutes ces révolutions dans lesquelles nous nous trouvons entraînés, et qui seront détaillées dans les chapitres qui suivent :

– tout d'abord, le selfie ne pouvait avoir lieu sans une *révolution technologique* : l'arrivée du numérique a amorcé un certain nombre de ruptures qui ont bouleversé en profondeur nos modes de vie, c'est indéniable ;

– cette évolution a entraîné une modification radicale de notre perception du monde, que l'on peut qualifier de *révolution humaine*, et dans laquelle deux changements majeurs peuvent être retenus : ceux de notre rapport à l'espace-temps et au langage ;

– avec le selfie, il est bien évident que c'est d'abord la « représentation de soi » qui est en jeu et qu'il impose une réflexion sur le narcissisme, sur une possible *révolution moïque* ;

– un tel questionnement a des répercussions dans notre rapport aux autres – à rapprocher de celles qu'amène la crise identitaire de l'adolescence –, qui entraînent une quatrième *révolution, sociale et culturelle* ;

– la société se transforme ainsi peu à peu en un théâtre de représentations de nos egos, un jeu dans lequel on ne peut ignorer la dimension aussi sympathique, amicale et créative du selfie, une pulsion de vie (Eros) qui traduit une *révolution érotique* ;

– toutefois, Eros ne va pas sans Thanatos, la pulsion de mort : le selfie a sa part d'ombre dans le poids de solitude qu'il peut dissimuler, dans ses excès morbides, il manifeste une sixième *révolution, pathologique* ;

– parallèlement, il peut aussi s'entendre comme une

expression esthétique, une œuvre d'art, non sans que se posent autour de ces autoportraits d'un nouveau genre, dont l'intention est aussi de partager « quelque chose » de soi avec un autre, des questions sur la *révolution esthétique* qu'il introduit ;

— enfin, cet enchaînement de révolutions dont on ne peut encore mesurer les effets faute de recul amène à rester prudent et à envisager de poser les bases d'une « *self-éthique* » – une éthique du virtuel – qui penserait l'impact des développements techno-scientifiques sur nos liens humains et dans le rapport à soi. C'est là l'objet de la dernière révolution : la *révolution éthique*.

1

Une révolution technologique

L'humanité 2.0

Sept ruptures majeures

C'est un fait : Internet et l'ère du numérique ont bouleversé nos modes de vie. Le Leading Edge Forum, labora-
toire de veille technologique de la Computer Sciences
Corporation, société de services en ingénierie informatique
américaine, relevait ainsi en 2015 sept ruptures majeures
qui modifient nos repères et qui sont porteuses de changements encore à venir :

– le fonctionnement traditionnel avec des intermédiaires
(producteur, diffuseur…) tend à s'effacer au profit d'un
rapport direct au média : le citoyen lambda se transforme en
journaliste sitôt qu'il se trouve au cœur d'un événement et
qu'il peut en rendre compte grâce à son smartphone ;
l'artiste est désormais capable de capter directement l'attention de milliers d'internautes… C'est ainsi que s'ouvre une
ère médiatique nouvelle dans laquelle nous sommes nous-
mêmes les médias : non seulement nous sommes déten-
teurs de l'information, mais, en plus, nous en sommes les

vecteurs en la transmettant, et de manière très efficace, rapide et peu coûteuse ;

– la frontière entre virtuel et réalité tend à se brouiller. Ce n'est pas (encore) que le virtuel soit en train de prendre le pas sur la réalité, mais il vient l'agrandir, l'enrichir, avant tout la modifier. Il nous est donné de vivre des expériences inédites : il est possible d'organiser la rencontre d'un millier de personnes sans que chacune, représentée par son avatar, n'ait à bouger de sa chaise, comme il sera possible demain d'essayer des vêtements à distance, en dix secondes, le temps d'un scan à 360°. Le virtuel modifie également notre rapport à l'espace : les développements à venir dans ce domaine dépassent l'imagination ;

– l'importance des réseaux sociaux acte une nouvelle forme de pouvoir. Pour mesurer son impact ou sa popularité, il suffit de comptabiliser le nombre de *like*. Une puissance incontournable dans un monde interconnecté, dont les politiques ou les *people* mais aussi les entreprises ont pertinemment conscience ;

– dans un contexte hypercommunicant, on bascule peu à peu dans une société de transparence où il devient de plus en plus difficile de « cacher », de « tenir au secret ». L'exemple le plus probant est celui de la géolocalisation : il devient facile de trouver et même de visualiser quelqu'un simplement parce qu'il détient un smartphone ;

– le « sans-fil » a pris une importance considérable : demain tous les appareils numériques seront connectés grâce au Wifi, lui-même concurrencé par le WiMax à plus haute efficacité ou encore l'UWB (*ultra wideband*) à vitesse plus élevée ;

– les progrès informatiques ne sont pas seulement gestionnels (centralisation des données sur le *cloud*), mais aussi physiques : de nouveaux matériaux sont à l'étude pour remplacer dans la fabrication des puces le silicium qui a atteint ses limites, ce qui pourrait les rendre encore plus puissantes et plus rapides, leur permettre même d'atteindre la vitesse de la lumière… ;

– les robots deviennent ultraperformants : ils peuvent déjà nous comprendre et nous parler, mais demain ils sauront raisonner et même détecter nos émotions[1]. Ainsi, « le développement de l'intelligence artificielle viendra aussi enrichir le domaine de la prévision et de l'aide à la décision – dans des proportions que l'on ne peut que tenter d'imaginer aujourd'hui. Une "révolution sémantique" est devant nous », annonce le rapport.

Ces sept *digital disruptions* (ruptures numériques) dressent une vision intéressante d'un monde virtuel interagissant avec le monde réel. Toutefois, elles restent du domaine du constat ou de la prédiction, et il est difficile de mesurer avec précision les conséquences de tels changements. Car cette révolution technologique met en place des formes de liaison inédites, rebaptisées « réseaux ». Mais qu'en est-il en réalité, humainement et socialement, de ces réseaux ? Et ces avancées technologiques (dans lesquelles on peut ranger la perche à selfie) sont-elles vraiment l'expression d'une « intelligence augmentée » ?

---

1. Le robot philosophe, dont parle Pascal Chabot, ne sera plus une fiction : in *ChatBot, le robot*, Paris, PUF, 2016.

N'importe où, n'importe quand

« T'es où ?
– Ch'uis dans l'métro… Tu fais quoi ?
– Rien. Et toi ?
– Rien non plus. »

Extrait d'un *Ubu* contemporain ? Même pas ! Il ne s'agit que d'un « dialogue » (de sourds ?) entre deux êtres humains, en ce début de XXIe siècle – deux êtres qui se comprennent très bien, bien qu'ils ne discourent sur « rien »… « T'es où ? » est devenu le cri de ralliement de toute une génération, « la question universelle, attestant de la configuration de l'espace social urbain et rural par la technologie mobile », explique la sémiologue Laurence Allard[1].

Depuis l'avènement des téléphones portables, « nous sommes joignables partout et à tout moment ». Un bien ou un mal ? Un plus ou un moins ? La banalité du propos, la pauvreté de nos échanges s'en sont probablement trouvées accrues – et si, en outre, je n'ai pas envie de dire où je suis, ce que je fais ? Mais il est vain, inutile et prétentieux de porter un quelconque jugement moral sur ce qui n'est qu'un constat : on ne peut de toute façon faire « sans ». En revanche, on peut « penser » cette révolution technologique et les changements qu'elle induit.

Amusons-nous d'abord à nous souvenir à quoi ressem-

---

1. Laurence Allard, *Mythologie du portable*, Paris, Le Cavalier bleu, 2009.

blait l'humanité avant le téléphone portable… On avait une montre pour regarder l'heure ; on s'écrivait avec du papier et un stylo au lieu de se « textoter » ; on se parlait au lieu de s'envoyer des SMS ; on connaissait par cœur les numéros de téléphone de ses amis et, pour avoir de leurs nouvelles, on passait plutôt les voir « en chair et en os » au lieu de consulter leur page Facebook ; quand il arrivait de devoir patienter, dans une salle d'attente ou dans une file par exemple, au lieu de tapoter frénétiquement sur notre clavier pour vérifier si un dernier mail ne vient pas de tomber ou pour jouer à Candy Crush, on regardait autour de nous, on observait les gens, le ciel, l'environnement, ou même : on lisait un livre ! Et on était nécessairement ponctuel : impossible d'envoyer un SMS cinq minutes avant l'heure du RDV : *15 mn de retard. À tout'*, au mépris de la plus élémentaire des politesses.

Puis, le jeu de la séduction était tout autre : on réfléchissait trois fois avant de composer le numéro de l'être désiré. Appeler quelqu'un était un choix, un acte décidé – rien de compulsif, d'impensé, de presque « pulsionnel » – comme si la ligne de terre aller enraciner le lien. Quand il s'agissait de lui dire « Je t'aime », on le faisait les yeux dans les yeux, les mains dans les mains, rien à voir avec un *JTM* envoyé par SMS, avec un de ces smileys en forme de cœur qu'on glisse dans ses textos à n'importe quelle occasion. L'effet et surtout la crédibilité du discours ne sont plus les mêmes. L'intensité des sentiments en est-elle amoindrie ? La manière de les exprimer est en tout cas à ce point différente que la réception doit l'être aussi. Enregistre-t-on un SMS qui dit *J't kiff* – et peut-être demain, tout aussi facilement, *J't kit* – avec le même sérieux qu'une déclaration écrite sur un morceau de papier qu'on gardait religieusement ? Là où écrire nécessite un temps pensé, soutient un engagement, un acte, le SMS est spontané, irréfléchi, souvent compulsif. Deux modes d'expression qui, au final, ne disent pas forcément la même chose.

Sans compter la tentation… celle de déclarer ses amours comme autant de SMS jetés dans l'ère du vide. Quoi de plus simple que de « chatter » avec trois ou quatre personnes en même temps dans la même finalité ? On prend de moins en moins le temps de ressentir l'autre à travers le discours, ni celui de l'écouter, de l'entendre.

Les téléphones portables semblent avoir changé notre rapport au monde affectif. L'amour – au sens très large, qui s'échelonne de l'amour filial à l'amitié en passant par le sentiment amoureux – est en pleine mutation. Il s'est mis à l'heure du non-engagement et de la superficialité, accentué par la modification de notre rapport au temps et à l'espace. Notre manière d'aimer est comparable à notre manière d'utiliser les smartphones : entre compulsion et obsession, addiction et négation.

Ce sont nos téléphones portables qui sont aujourd'hui nos partenaires, des partenaires dits intelligents : capables de nous guider (qui se souvient comment lire un plan ?), de filmer, de nous connecter à Internet, de prendre des photos, de nous donner à lire des livres sans tourner les pages et à écouter de la musique « n'importe où, n'importe quand »… S'installer dans un vieux fauteuil seul ou entre amis pour écouter Maria Callas interprétant *La Traviata* représentait autrefois un temps entier dédié à l'essence même du beau, non pas un temps perdu, mais un pur moment d'esthétique et d'abandon de soi. Certes, écouter la Callas se fait encore : dans un train, dans un bus, dans la rue, dans une maison bondée, parmi des amis ou des anonymes, hop, des écouteurs vissés dans les oreilles... Une offense à la Callas, mais pire... c'est l'isolement, le retrait volontaire du monde réel au profit d'un monde imaginaire, d'un monde intérieur à mi-chemin entre l'introspection et la virtualité. Bienvenue à l'heure de « l'humanité 2.0 » !

L'humanité 2.0 à l'heure du transhumanisme

Nous sommes bien entrés dans ce que l'informaticien et futurologue américain Raymond C. Kurzweil, éminent théoricien du transhumanisme, directeur de l'ingénierie chez Google, appelle l'« humanité 2.0 »[1]. Dans sa « bible du changement », il développe les six époques de la construction de l'humanité, chacune s'appuyant sur les méthodes de traitement de l'information de la précédente. Pour les quatre premières : la physique et la chimie (constitution des atomes et des molécules à partir de fragments d'information, les quanta), la biologie (évolution des systèmes et début de la vie grâce au stockage de l'information dans l'ADN), le cerveau (production, grâce à l'ADN, d'organismes capables de détecter, d'analyser et de stocker l'information), la technologie (transfert par le cerveau de l'information dans des

---

1. Ray Kurzweil, *Humanité 2.0. La bible du changement*, Paris, M21 éditions, 2007, pp. 36-42.

modèles élaborés de traitement ou programmes « informatiques »).

Les deux époques suivantes ne sont pas encore advenues. La cinquième s'appuiera sur la fusion de la technologie avec l'intelligence humaine, que Ray Kurzweil nomme Singularité : « Ce sera le résultat de la fusion des vastes connaissances que contiennent nos cerveaux avec la capacité, la vitesse et les capacités de partage de connaissances encore plus grandes de notre technologie. [Elle] permettra à notre civilisation humains-machines de transcender les limitations de la simple centaine de milliards de connexions extrêmement lentes du cerveau humain. »

Bien entendu, cela décuplera nos facultés créatrices. Nous entrerons alors, selon l'auteur, dans la sixième époque : le réveil de l'univers. À ce stade ultime, la matière et l'énergie seront saturées dans une brume d'intelligence, détachée de ses origines biologiques et humaines.

Sans attendre cette sixième époque, nous pouvons dire que nous sommes entrés dans cette ère de l'« humanité 0.2 » où l'alliance de l'intelligence humaine avec l'intelligence numérique entraîne la transformation même de l'être humain. Il devient courant de parler de « cyborg » à propos de toute personne qui vit grâce à l'aide technologique, de même que nous avons désormais tous un « avatar[1] » que

---

1. Terme emprunté au sanskrit et qui désigne l'« incarnation divine » – paradoxe à l'heure du virtuel où l'avatar remplace à proprement parler le corps « désincarné » !

nous utilisons pour nous représenter sur le net, notre « moi virtuel », notre identité numérique.

Le philosophe Jean-Michel Besnier évoque aussi les êtres humains « augmentés » grâce à des greffes ou à des organes artificiels[1]. C'est chez lui un constat, mais il existe un courant intellectuel et culturel, le transhumanisme, favorable à cette amélioration de l'homme par la technologie, à l'augmentation de ses capacités tant physiques que mentales. Ce mouvement progressiste a pour ambition d'éliminer le handicap, la souffrance, la maladie et même le vieillissement, avec, pour les plus radicaux de ses membres, celle de parvenir à une condition post-humaine débarrassée des contingences biologiques. Cela pose bien entendu de nombreux questionnements éthiques.

Quoi qu'il en soit, nos nouvelles façons de communiquer témoignent déjà d'une forte emprise de la technologie sur les relations humaines.

Les réseaux sociaux mettent-ils réellement le monde en réseau ?

Vendredi 13 novembre 2015. Paris vient de connaître l'un de ses pires attentats. Les réseaux sociaux jouent un rôle majeur dans la diffusion de l'information : en quelques clics, ils contribuent à provoquer un mouvement collectif, à répandre un sentiment de solidarité. « Depuis vendredi soir, les Français louent le rôle essentiel des réseaux sociaux, entre

---

1. In *Demain, les posthumains*, Paris, Fayard, 2010.

le "Safety check" de Facebook et le hashtag #PorteOuverte sur Twitter[1] », note la journaliste Anaëlle Grondin dans *20minutes*. Tout en ajoutant : « Mais les dérives sont nombreuses... »

De toute évidence, les réseaux virtuels ont créé une réelle dynamique de rassemblement. Mais ils ont aussi servi à diffuser l'angoisse et la peur. « Les rumeurs et la psychose se sont rapidement immiscées entre les messages bienveillants. Vendredi soir et dimanche soir, de fausses alertes (liées à des jets de pétards) relayées sur les réseaux sociaux ont contribué aux mouvements de panique », poursuit Anaëlle Grondin. Le paradoxe est bien souligné par Sylvain Delouvée, enseignant-chercheur en psychologie sociale à l'Université Rennes 2 : « Les réseaux sociaux, comme toutes les interactions à l'œuvre dans le corps social – discussions, rassemblements, lectures d'articles, écoute des médias... –, ont un rôle complexe dans ce genre de situations : d'une part ils vont renforcer le sentiment de peur qui se diffuse dans la société et d'autre part ils vont aider à le conjurer en permettant notamment un partage social des émotions[2]. »

L'un des problèmes que posent les réseaux sociaux est lié à l'hyperdiffusion des informations. Celles-ci sont dispensées dans l'instantané de l'événement, sans recul, sans analyse, ce

1. http://www.20minutes.fr/web/1731815-20151116-attentats-paris-reseaux-sociaux-entre-aide-precieuse-grand-importe-quoi.

2. http://www.la-croix.com/Actualite/France/Quel-est-le-role-des-reseaux-sociaux-dans-des-evenements-comme-les-attentats-de-Paris-2015-11-15-1380592.

qui peut être source d'erreur. Mais surtout leur profusion suscite la confusion, car il est impossible de démêler le vrai du faux.

Certes, ils mettent la communauté humaine en lien, ils ont fait de l'homme un *homo connecticus*. Notons pourtant la singularité de ce lien : nous l'avons nommé *nexus*, terme latin qui signifie « enchaînement, lien, nœud, étreinte ». Rien à voir avec le sens que lui donnait par exemple, au XVe siècle le théologien Nicolas de Cues qui désignait ainsi le terme médiateur entre Dieu et l'Homme. Le psychosociologue Michel-Louis Rouquette l'a ramené à un sens plus actuel : le « nexus » est un mot, un symbole, un slogan qui a le don de mobiliser et fédérer les foules, hors même de toute raison, « un nœud indémêlable constitué d'affects, d'émotions, et de sens irraisonnés [1] ». Il s'agit donc de traduire des « représentations affectives » à haute charge émotionnelle capables de déchaîner les passions. Aussi, ce que nous désignons ici par *nexus*, c'est la mise en relation singulière qui relie sans les lier les individus d'une même communauté d'internautes. Ces individus ont des intérêts communs : voir, échanger des informations rapidement, se divertir (et même parfois pervertir, comme c'est le cas pour les djihadistes dont nous savons qu'ils peuvent être recrutés sur Internet et notamment par le biais des réseaux sociaux) sans nécessairement avoir l'objectif d'établir des liens de fond.

En quoi forment-ils un réseau ? Le mot, à l'origine dérivé

---

1. http://www.scienceshumaines.com/michel-louis-rouquette-chasseur-de-nexus_fr_25117.html.

de « rets » ou « filet », qui se limitait, aux XVIIIe et XIXe siècles, à désigner celui des chemins et des routes qui sillonnent un pays, a perdu peu à peu, au fil de son usage, son rapport à l'objet concret pour désigner « un certain nombre de propriétés générales intimement entremêlées : l'entrelacement mais aussi le contrôle et la cohésion, la circulation, la connaissance et la représentation topologique[1] ». Le réseau est le propre de la communication qui relie l'émetteur au récepteur. Il peut s'étendre quasi à l'infini et ne connaît pas de frontières, comme le rappelle Claude Lévi-Strauss : « Une société est faite d'individus et de groupes qui communiquent entre eux. Cependant, la présence ou l'absence de communication ne saurait être définie de manière absolue. La communication ne cesse pas aux frontières de la société[2]. »

La notion même de réseau social n'est pas nouvelle. C'est en 1954 que le terme est apparu sous la plume de l'anthropologue britannique John A. Barnes, dans un article intitulé « Human Relations » où il analysait les rapports que les habitants d'une petite île de la côte occidentale norvégienne entretenaient entre eux. Il distinguait trois « champs » sociaux : l'un à base territoriale correspondant à l'organisation politique, le second au système industriel et le troisième, sans frontières bien définies, désignant « l'ensemble

1. Pierre Mercklé, *Sociologie des réseaux sociaux*, Paris, La Découverte, 2004, p. 7.
2. Claude Lévi-Strauss, *Anthropologie structurale*, Paris, Plon, 1974, pp. 352-353.

des relations informelles entre individus formellement égaux, connaissances, amis, voisins ou parents[1] ». C'est ce troisième champ qu'il qualifia de « réseau social ».

Le terme connaît un grand succès depuis le développement d'Internet : les réseaux sociaux en ligne ont commencé à tisser leur toile. Derrière Facebook, Twitter et MySpace, il en existe de très nombreux autres extrêmement populaires : Instagram, Pinterest, FlickR (partage de photos et vidéos), Tumblr (bloggeurs), LinkedIn, Viadeo (réseaux professionnels), Qzone (en Chine) ; Habbo (adolescents)… Mais ces réseaux sociaux qui mettent *en lien* (*nexus*) créent-ils pour autant *du lien* ? Internet peut être aussi un très grand théâtre d'illusions : les amitiés y sont parfois réelles, mais souvent factices ; les informations sont multiples, mais en aucun cas certaines… Ces réseaux ne favorisent pas nécessairement la véracité du lien humain. En somme, ils représentent plutôt une de ces « utopies du cyberespace[2] ». Et seule la traversée du miroir virtuel permettrait de passer du simple *nexus* à la vérité du lien humain.

Si bien qu'au-delà des apparences, les réseaux sociaux, d'une certaine manière et paradoxalement, appauvrissent la sociabilité au lieu de la promouvoir. Il en va de même avec ce « lien » étrange, entre moi et le monde, que constitue la perche à selfie. Doit-on n'y voir qu'une extension de nos

---

1. Pierre Mercklé, *op. cit.*, p. 12.
2. Voir Benjamin Loveluck, *Réseaux, libertés et contrôle*, Paris, Armand Colin, 2015, pp. 89 sqq.

possibles (on peut prendre des photos avec davantage de recul) ou au contraire la considérer comme contraignante ?

En lien ou aliénés ? De la main à la perche

Sans être réellement en lien bien qu'attachés à notre *nexus*, nous sommes devenus des a-*lien*-és. Aujourd'hui, nous sommes d'abord en *réseau* : disponibles et disposés. Un voyant s'allume pour informer le monde que nous sommes connectés : c'est-à-dire que nous sommes *là*, mais en fait nulle part ou bien en mouvement. Notre point de fixité, c'est la Toile ; c'est aussi notre point de ralliement, de rassemblement, de cause commune, où justement on suit le mouvement. Difficile pourtant de sentir l'élan d'une main tendue qui traverserait la Toile. Et si, aujourd'hui, il devient possible de tendre la perche, ce n'est pas comme une invitation à l'échange, au dialogue ou au débat d'idées… C'est un *selfie stick* uniquement destiné à prendre un reflet de soi-même qui fleurit sur les lieux touristiques.

La perche à selfie, si vilainement dénommée, est un instrument qui cherche à privilégier le confort et l'esthétisme, grâce au recul qu'elle permet dans les photos de soi. Et paradoxalement, elle est déjà très controversée. Une campagne de sensibilisation, « Safe Selfie », a été lancée en Russie en juillet 2015 par le ministère de l'Intérieur pour prévenir les accidents provoqués par la perche à selfie. Excessif ? Sauf quand on constate que le nombre de morts dues à leur utilisation ne cesse de croître. Un exemple : un promeneur gallois a perdu la vie le mardi 7 juillet 2015 alors qu'il se photographiait à l'aide de son *selfie stick* sur les hauteurs d'une colline, brûlé par la foudre qui avait été attirée par la tige métallique. Ce n'est pas un cas isolé : ce type d'accident mortel est en passe de devenir « une nouvelle pandémie contemporaine qui se développe à l'échelle internationale », souligne la journaliste de *Paris-Match* Camille Hazard qui rapporte cet accident[1].

La perche se veut le substitut « mécanique », de la main. Cette main dont Aristote rappelle qu'elle est « l'outil le plus utile », véritable prolongement elle-même de la raison et de l'intelligence humaine. Mais la machine a ici vite fait d'engloutir l'intelligence humaine. Elle nous fait perdre la tête et toute raison qui va avec, au point de nous mettre en danger : pris dans un élan de jovialité photographique, voilà qu'on peut tomber dans le vide d'un précipice, se faire écraser par un train ou autre simplement pour un coup de pub selfique, diffusable à l'envi sur les réseaux sociaux...

---

1. http://www.parismatch.com/Actu/Insolite/La-perche-a-selfie-l-amie-meurtriere-796838.

2

Une révolution humaine

De nouveaux paradigmes

Avec l'arrivée de cet objet si singulier qu'est le smart-phone, combinant à lui seul les fonctions de téléphone, d'écran, d'appareil photo ou d'ordinateur, on pourrait dire qu'aujourd'hui le regard que l'on porte sur le monde ou sur soi se fait par l'intermédiaire d'un écran. En ce sens, l'écran peut s'envisager comme une fenêtre, frontière entre le dedans et le dehors : on l'allume ou on l'éteint comme on ouvre ou on ferme une fenêtre, selon notre humeur. Mais, dans la fenêtre de nos écrans, qu'est-ce qui, au juste, nous est donné à voir du monde ?

Modification de l'espace-temps

La première conséquence de la révolution de l'ère du numérique et du virtuel est peut-être bien la modification de notre rapport au temps et à l'espace. Désormais, c'est l'« objet-écran » qui en fixe le cadre. Avec le smartphone, par exemple, nous sommes connectés en permanence, *où* que nous nous trouvions à *n'importe quel moment*. Si bien que le temps et l'espace semblent s'être repliés l'un sur l'autre, nous projetant dans une conception de l'existence que nous nommerons *hic et nunc* et que le champ des expériences – dont la somme constitue l'existence – en est complètement rétréci.

Dans cette ère de l'*hic et nunc*, de l'ici et du maintenant, tout est immédiat, tout est trop accessible : assis devant notre clavier, il nous suffit de cliquer pour que le monde s'offre à nous. Ainsi, «aux visions enthousiastes du progrès historique succ[èdent] des horizons plus courts, une temporalité dominée par le précaire et l'éphémère. Se confondant avec la débâcle des constructions volontaristes du futur et le triomphe concomitant des normes consuméristes centrées sur la vie au présent, la période postmoderne indiqu[e] l'avènement d'une temporalité sociale inédite marquée par le primat de l'ici-maintenant[1] » : c'est ainsi que Gilles Lipovetsky décrit la fin de la postmodernité, désormais remplacée par l'hypermodernité.

En effet, «hypercapitalisme, hyperclasse, hyperpuissance, hyperterrorisme, hyperindividualisme, hypermarché, hypertexte, qu'est-ce qui n'est plus "hyper"? Qu'est-ce qui ne révèle plus une modernité élevée à la puissance superlative[2] ?» L'ère du numérique et du virtuel nous a mis à l'heure de l'hyperindividu. Nous accusons lentement la disparition de la modernité au profit d'une puissance super-

---

1. Gilles Lipovetsky et Sébastien Charles, *Les Temps hypermodernes*, Paris, Le Livre de poche, 2004, p. 49.
2. *Ibid.*, p. 51.

lative, hyperbolique où l'excès en tout genre est le maître mot. « C'est dans ce contexte que se déploie l'individu "par excès", note Nicole Aubert... Un individu qui présente, à notre sens, plus d'une facette : celle de l'individu conquérant, "entrepreneur de sa propre vie", et poursuivant avec acharnement son propre intérêt, est la facette économique, l'incarnation de la logique de marché qui sous-tend l'individualisme "par excès". Elle n'est cependant pas la seule et on peut vivre "l'excès" ou le "trop-plein" sur des registres divers et de façon fort différente[1]. »

C'est un excès d'un genre nouveau, qui n'est pas celui de l'ancien monde où il s'agissait de flirter avec les limites ou de les dépasser. « Hors champ » et « hors temps », la montée en puissance du toujours-plus ne peut s'arrêter dans la mesure où, depuis un certain temps, les limites ne cessent de s'effacer. « Même les comportements individuels sont pris dans l'engrenage de l'extrême comme en témoignent la frénésie consomptive, les pratiques de dopage, les sports extrêmes, les tueurs en série, les boulimies et anorexies, l'obésité, les compulsions et addictions[2]. » Cette immédiateté ronge nos existences qui perdent peu à peu le sens et la sagesse de l'attente et de la patience. « Le couronnement du présent a commencé bien avant que ne vacillent les raisons d'espérer dans un avenir meilleur... Au moment où résonnaient les ultimes incantations révolutionnaires chargées

---

1. Nicole Aubert, *Le Culte de l'urgence*, Paris, Flammarion, Paris, 2003, p. 115.
2. *Ibid.*, p. 53.

d'espérances futuristes, s'est déployée l'absolutisation du présent immédiat glorifiant l'authenticité subjective et la spontanéité des désirs, la culture du "tout, tout de suite[1]" sacralisant les jouissances sans interdit, sans préoccupation des lendemains[2] ».

L'immédiateté a aussi pour conséquence d'aplatir le désir, qui ne peut se déployer que dans le temps et la perspective de son devenir (la satisfaction). Le présent ne se vit que dans l'illusion d'une jouissance permanente (mais souvent factice) et de fait à jamais insatisfaisante, et dans une forme d'insécurité qui fragilise tous les contours du moi : « L'ambiance de la civilisation de l'éphémère a changé la tonalité émotionnelle. Le sentiment d'insécurité a envahi les esprits, la santé s'impose comme une obsession de masse, le terrorisme, les catastrophes, les épidémies font régulièrement la une de l'actualité[3]. » Nous sommes entrés dans l'époque de ce que le politologue Zaki Laïdi appelle « l'homme-présent »[4], évoquant dans notre conception du temps le passage d'une « brèche » à celle d'une « nasse ». Passer de la « brèche du temps » à la « nasse du temps », ce

---

1. À ce sujet, Nicole Aubert écrit aussi : « L'urgence économique du "tout, tout de suite" fait partie d'un tableau d'ensemble – celui de la société "à temps court" – dans laquelle les individus, désespérant de "vivre une éternité" sont, comme le disait Tocqueville, "disposés à agir comme s'ils ne devaient exister qu'un seul jour" », *ibid.*, p. 315.

2. *Ibid.*, p. 60.

3. *Ibid.*, p. 62.

4. Zaki Laïdi, *Le Sacre du présent*, Paris, Flammarion, 2000, p. 102.

n'est pas un simple changement de terminologie : c'est abandonner une représentation perspectiviste au profit d'une représentation autarcique. Passer de la « brèche du temps » à la « nasse du temps », c'est penser le glissement d'une temporalité qui fend le temps pour le déployer vers une temporalité qui l'arraisonne.

Dans le virtuel, l'espace et le temps sont enfermés dans nos téléphones et nos ordinateurs, véritables formes pures qui conditionnent l'empiricité de nos existences. Le temps et l'espace se sont pliés et repliés sur eux-mêmes : le lointain est devenu le proche (avec le net) ; le tout à l'heure est devenu le maintenant (avec le smartphone) ; l'invisible est devenu le visible (avec Skype)... À quand une application qui nous donnera à goûter et à sentir l'autre ? À quand un logiciel qui proposera au moi de *renaître* indéfiniment à mesure qu'il se meurt perpétuellement, à l'image d'un Sisyphe des temps hypermodernes ?

L'immédiat connectique

En 1987, Jean-François Lyotard, dans une conférence donnée à la Carl Freidrich von Siemens Stiftung à Munich, intitulée « Le temps, aujourd'hui », posait le problème en termes plus philosophiques : « J'ai le sentiment que l'angoisse qui prévaut aujourd'hui dans le domaine philoso-phique et politique au sujet de la "communication"... n'a quasiment aucun rapport avec les problèmes philosophiques et politologues "classiques" relatifs aux fondements de la communauté (*Gemeinschaft*), du être-ensemble (*Mitsein*), de la *communitas*, et même de l'espace public (*Öffentlichkeit*) tel que les Lumières l'ont pensé. » Faisant le portrait d'une époque qui se plie aux divinités techno-scientifiques, il rappelait que « toute technologie, [...] est un artefact qui permet à ses usagers de stocker plus d'informations, de renforcer leurs compétences et d'optimiser leurs performances », mais montrait comment cette évolution nous entraînait à une redéfinition inédite de notre rapport à la communauté, au vivre-ensemble : « Cette compulsion à communiquer et à assurer la communicabilité de n'importe quoi : objets, services, valeurs, idées, langages, goûts, qui s'exprime en particulier dans le contexte des nouvelles technologies, – il faut, pour l'interroger proprement, renoncer, je crois à la philosophie de l'émancipation de l'humanité[1] ». Et, anticipant les réseaux sociaux, il dénonçait déjà les dérives de l'information à tout-va, l'ultratransparence exigée de la moindre opinion, sans le moindre recul ni la moindre réflexion. Un peu plus loin, il poursuivait sur le danger que nous évoquions, de voir des technologies électroniques réduire le temps à une seule dimension : « Quant aux technologies construites sur l'électronique et le traitement informatique, leur importance réside en ce qu'elles émancipent davantage des conditions de vie sur terre, la programmation et le contrôle de la mise en mémoire, c'est-à-dire la synthèse de temps différents en un seul[2]. »

---

1. Jean-François Lyotard, *L'Inhumain. Causeries sur le temps*, Paris, Klincksieck, 2014, p. 65.
2. *Ibid.*, p. 67.

Sa critique acerbe n'épargnait pas Internet (rappelons qu'Internet, né en 1973, ne s'est développé et généralisé qu'à partir des années 2000) : « Le réseau électronique et informatique qui s'étend sur la terre donne naissance à une capacité globale de mise en mémoire qu'il faut estimer à l'échelle cosmique, sans commune mesure avec celle des cultures traditionnelles. *Le paradoxe qu'implique cette mémoire réside en ce qu'elle n'est finalement la mémoire de personne.* » Il faut bien entendre « personne » au sens concret du terme. En effet, les réseaux, sans avoir pour autant de « corps physique », sont souvent personnifiés, considérés comme une sorte d'« altérité aux multiples visages ». C'est bien le sens de Facebook : le « livre des visages ». Une mémoire soutenue par personne et un corps qui n'existe plus… À nouveau, la question se trouve là posée : qu'en est-il du moi dans le virtuel ?

Ce n'est par ailleurs pas seulement notre perception objective du temps qui s'est modifiée : c'est aussi notre sentiment intérieur, ce que Bergson appelle la *durée intérieure.* Qu'en est-il de la durée bergsonienne à l'heure du virtuel ? Différente est l'approche affective du temps physique ; autre est l'émotion associée au chronomètre ; loin demeure l'écho intérieur de nos vécus subjectifs qui ponctuaient nos souvenirs et nos moments de vie. Désormais, on programme le chronomètre ou le minuteur de notre smartphone, et notre vie prend forme. On planifie nos existences sur Outlook, et la connectivité fait le reste : nos smartphones, nos ordinateurs et même nos montres connectées nous rappellent à l'ordre. Ainsi, il n'est même plus utile de penser ou de réfléchir, ni d'anticiper, ni de se souvenir, ni même d'augmenter notre rapport au temps d'un jugement affectif : il nous suffit de suivre le planning, l'alarme du téléphone œuvre telle une balise dans le silence assourdissant du quotidien. C'est toute notre conscience qui est bouleversée. Peu à peu nous devenons comme « à distance » de nous-même.

Ainsi, le temps dans son élasticité, tel qu'évoqué par Proust – « le temps dont nous disposons chaque jour est élastique ; les passions que nous ressentons le dilatent, celles que nous inspirons le rétrécissent et l'habitude le remplit[1] » –, n'a plus la même réalité aujourd'hui. Ni le temps de l'habitude ni celui de la passion. Le temps n'est plus seulement l'affaire de l'homme : il est désormais aussi celle de la machine.

Si bien qu'on pourrait en venir à remettre en cause la perception des trois dimensions usuelles que sont le passé, le présent et l'avenir, pour n'en retenir qu'une seule : l'immédiat connectique.

L'immédiat connectique, c'est le temps virtuel. C'est une réduction de ces trois dimensions (passé, présent et avenir) à une seule par l'effet de la connexion : l'immédiat. Ainsi, en deux, trois clics, nous sommes *hic et nunc*, ici et maintenant, connectés dans l'espace et dans le temps. Il ne s'agit plus d'attendre ou de patienter, d'anticiper ou d'espérer : « J'ai envie de t'entendre alors que tu es à l'autre bout du monde et que tu ne rentres que dans trois jours ? Pas de problème, je t'appelle, même au milieu de la nuit ! J'ai besoin que tu me rapportes des fraises qui ne sont pas marquées sur ta liste

1. *À l'ombre des jeunes filles en fleurs*, Paris, Gallimard, 1919, p. 18.

alors que tu es au supermarché ? Je t'appelle et le problème est réglé. Je ne me souviens plus le nom d'un roi de France : inutile de forcer ma mémoire, je tape dans Google, et hop, la réponse m'apparaît. »

« Au-delà des métaphores, les rapports que nous entretenons avec le temps se sont, depuis la dernière décennie du XXe siècle, considérablement radicalisés, souligne encore Nicole Aubert. Plus ou moins délivrés des contraintes de l'espace, c'est sur le temps, désormais, que nous concentrons notre volonté de conquête, tandis que, simultanément, les tyrannies que le temps fait peser sur nous semblent absorber la totalité de notre énergie. Dans ce contexte, émergent au-devant de la scène de nouvelles formes d'expression de notre rapport au temps qui sont *l'urgence, l'immédiateté, l'instantanéité* et *la vitesse*[1]. »

Car tel est bien le paradoxe de notre société, qui trouve sa répercussion dans une expression récurrente : « Pas le temps ! » Est-ce qu'on n'a plus le temps, ou plutôt que le temps n'est plus... tel qu'il a longtemps été perçu ? Et quel devenir pour un moi « shooté » à l'urgence et à la précipitation ?

L'espace horizontal

Notre perception de l'espace a subi la même modification que celle du temps. Nous ne le percevons plus dans ses trois dimensions, avec la profondeur en ligne de fond ; désormais, l'espace affiché d'Internet le réduit à deux

---

1. Nicole Aubert, *op. cit.*, p. 31.

dimensions, celles de l'écran (même si des lunettes 3D reconstruisent l'illusion de la profondeur). Nous sommes entrés dans une nouvelle ère, où l'espace devient horizontal et la distance, une notion relative qui ne cesse de se réduire : désormais, communiquer avec un ami à plusieurs milliers de kilomètres se fait en un clic. Le lointain est devenu proche ; l'attente, l'imprévu, et le mystère ne font plus partie du voyage.

Dans un espace linéaire, tout est immédiatement accessible, « absolument donné ». Tout un symbole que la disparition de la profondeur !

« Dans le paysage, explique le philosophe Henri Maldiney, nous sommes investis par un horizon qui est lié à chaque fois à notre ici. Or, la relation ici-horizon exclut toute systématisation de l'espace qui nous fournirait des repères. » Ainsi, « nous ne nous déplaçons pas *à travers* lui, mais nous marchons *en lui* de ici en ici enveloppé par l'horizon, qui, comme le ici, continûment se transforme en lui-même[1] ». Ce qui signifie que l'espace n'est plus porteur de projets en devenir, mais seulement déchirure ou fracture dans le présent : cela ne fait qu'accroître un sentiment d'errance, de perte de sens, d'incohérence. On pourrait aller jusqu'à dire que l'espace ne se définit plus comme le déploiement de nos possibles, mais plutôt comme la prison de nos impossibles. « Dans ce cheminement de ici-maintenant en ici-maintenant, poursuit Maldiney, non seulement nous marchons sans but, mais notre marche est

---

1. Henri Maldiney, *Regard, parole, espace*, Paris, Cerf, 2012, p. 203.

42

affranchie de ce minimum de schèmes moteurs qui donnent à notre vie, à travers le flux du temps, l'allure d'une histoire, et elle s'intègre dans l'espace, sans souci d'aucune orientation[1]. »

Un changement important de paradigme, qui pourrait bien amener la fin de l'Histoire, comme l'avaient déjà pressenti Hegel ou, dans sa lignée, Fukuyama. Bien sûr, ce dernier pointait avant tout le consensus imposé par la démocratie libérale et l'arrêt des luttes entre idéologies. Mais le philosophe américain, fervent critique par ailleurs du transhumanisme, s'alarmait aussi du destin de l'humanité face aux progrès biotechnologiques. Comment la modification de notre perception du temps et de l'espace n'influencerait-elle pas notre conception de l'Histoire ? Réduite à son seul présent, prisonnière d'un espace horizontal privé d'horizon, celle-ci finirait par n'être plus qu'un diagnostic.

On en vient ici à la réflexion du philosophe et urbaniste Henri Lefebvre qui, en 1974, faisait de l'espace le lieu où se développent des stratégies humaines et sociales. « Aujourd'hui, écrivait-il, une transformation de la société suppose la possession et la gestion collective de l'espace, par l'intervention perpétuelle des "intéressés", avec leurs multiples intérêts […] [Il s'agirait] à l'horizon, à la limite des possibles, de produire l'espace de l'espèce humaine, comme œuvre collective (générique) de cet espace, de créer (produire) l'espace planétaire comme support social, d'une vie quotidiennement

---

1. *Ibid.*, p. 204.

métamorphosée[1].» N'est-ce pas ce qui est en train de se créer par le biais de la Toile? Un espace planétaire virtuel, comme support d'un social en pleine mutation, écho de la métamorphose de nos existences?

Y participe un autre changement fondamental qui va radicalement modifier notre rapport au monde et à nous-même : celui de notre relation au langage.

Du discours rationnel à l'image-éphémère

En 1987, Jean-François Lyotard rappelait aussi que c'étaient les « ethnocultures » qui jouaient le rôle de « mémoire de l'information ». C'était aux peuples qu'il revenait d'organiser l'espace et le temps en fonction de leur histoire, de leur culture, de leur identité. Ainsi les ethnocultures ont « notamment produit cette organisation spécifique de la temporalité que nous nommons récits historiques. [...] Les récits sont comme des filtres temporels dont la fonction est de transformer la charge émotive liée à l'événement en séquences d'unités d'informations susceptibles d'engendrer enfin quelque chose comme du sens[2]. » Mais voilà : l'arrivée des nouvelles technologies est venue interrompre l'œuvre des ethnocultures. Les grands récits historiques, chargés de sens, d'identités, de savoirs, ont

---

1. Henri Lefebvre, *La Production de l'espace*, Paris, Economica, 2000, pp. 484-485.

2. Jean-François Lyotard, « Le temps, aujourd'hui », in *L'Inhumain*, *op. cit.*, pp. 67-68.

cessé de se raconter, de s'écrire. C'est tout notre modèle culturel qui en est ébranlé.

En revanche, l'information se répand partout en un instant. Faut-il y voir une évolution heureuse, dans la mesure où les cultures traditionnelles ne pouvaient bénéficier d'une telle diffusion ? Mais cette information confuse et immédiate qui se propage en un clic, non plus dans un contexte local précis, dans un modèle culturel particulier, mais sur l'ensemble de la planète, vient se heurter aux cultures traditionnelles. Et cette information, « actuelle », est celle de l'instant, dont une donnée chasse l'autre... L'avis de Jean-François Lyotard est quant à lui sans concession : « Cette accessibilité généralisée offerte par les nouveaux biens culturels, il ne semble guère qu'elle soit à proprement parler un progrès. La pénétration de l'appareil techno-scientifique dans le champ culturel ne signifie nullement que connaissance, sensibilité, tolérance, liberté s'en trouvent accrues dans les esprits. À renforcer cet appareil, on n'émancipe pas l'esprit. Nous faisons plutôt l'expérience inverse : barbarie nouvelle, néo-analphabétisme et appauvrissement du langage, nouvelle pauvreté, impitoyable remodelage de l'opinion par les médias, un esprit voué à la misère, une âme à la désuétude[1]. » Dans un tel foisonnement, l'esprit éprouve de plus en plus de difficultés à penser par lui-même. Et l'excès d'informations, non seulement nous conduit à la désinformation, mais il nous plonge aussi dans une forme nouvelle d'analphabétisme, un « néo-analphabétisme ».

---

1. *Ibid.*

Outre notre rapport au temps et à l'espace, le paradigme le plus important est celui qui nous lie au langage. Notre rapport au monde se fait sur la base d'un *récit historique rationnel* (les récits mythologiques, fondateurs, n'ont jamais été dépourvus de rationalité). En clair, le monde tient dans une cohérence qui s'apparente à une grammaire : structurée, déchiffrée, démontrée et démontrable. Il repose sur le langage, sur un récit structuré et qui structure la société, comme les fondations d'une maison – ou plutôt celles de la pensée et même du psychisme.

Mais, aujourd'hui, les mots ne jouent plus pleinement leur rôle. La réalité ne s'érige plus sur Babel, mais sur l'autel éphémère d'une nouvelle idole : l'*image*. Des images qui fusent à tout va... que ce soit les selfies sur Facebook ou Twitter ou les diffusions momentanées et quasi pulsionnelles sur Snapchat... Les mots sont devenus *has been* : le monde « s'écrit » en photos. Fini le temps des longs discours : à présent, c'est l'instantané d'un moment figé sur quelques millions de pixels, saisi en un seul regard, qui parle de la vie, de la mort, des sentiments et des émotions. Le nuancier affectif est réduit à l'interprétation du prêt-à-voir. La société de l'image-éphémère, que je choisirais d'appeler *eidôlon*[1] (εἴδωλον), a ainsi pris le pas sur une vision du

---

1. Je prends le parti de me référer au grec *eidôlon* qui a donné « idole » et renvoie, dans la philosophie de Platon, à l'image-*simulacre*, plutôt qu'à *eikon*, qui a donné « icône », l'image-*copie*, que le philosophe lui préfère. *Eidôlon* se traduit aussi par « apparition », rendant bien compte de son caractère. Le lecteur intéressé peut consulter l'excellent

monde qui depuis l'Antiquité grecque reposait sur le discours rationnel, *logos* (λόγος). L'effacement du *logos*, c'est le recul de la culture traditionnelle, des mythes et du récit, c'est le retrait du langage entendu comme vecteur d'échange, de compréhension, de transmission, c'est le déclin de la structuration de la société organisée autour de la rationalité. Le règne de l'*eidôlon*, c'est le privilège de la forme au détriment du fond, c'est l'inconsistance du visible qui s'échoue dans l'éphémère et l'instantané, c'est la domination des affects et du sensible sur l'intelligible. Nous devons désormais compter avec deux rapports au temps, deux rapports à l'espace qui se côtoient indifféremment. Mais aussi avec la conjugaison de deux visions du monde, radicalement différentes : une produite par la déduction du *logos* ; et l'autre par l'effet de l'*eidôlon*.

L'hypermodernité a donc réinventé le temps (on vit dans l'instant virtuel), a renoncé à l'espace (où est passé le « lointain » ?) et a englouti, dans ces métamorphoses, le récit historique et le sens qui va avec. Nous passons peu à peu d'un anthropocentrisme à un technocentrisme. « Le récit moderne, poursuit Jean-François Lyotard, induit assurément une attitude plus politique que rituelle. Reste que l'idéal situé au terme du récit d'émancipation est censé concevable, même s'il comporte sous le nom de liberté, une sorte de vide ou de "blanc", une indéfinition, à

---

article de Monique Dixsaut : « Platon, Nietzsche et les images », in *Puissances de l'image*, textes rassemblés par Jean-Claude Gens et Pierre Rodrigo, Dijon, EUD, coll. « Écriture », 2007.

sauvegarder. » La liberté contemporaine ne se vit plus sous la forme d'un possible avec l'infini en toile de fond. Elle correspond plutôt à une restriction avec la Toile comme illusion. Une restriction que nous imposent toutes les politiques sécuritaires qui, à défaut de nous protéger d'un hypothétique danger, ne font que restreindre notre liberté. « La liberté n'est pas la sécurité, précise Lyotard. Ce que certains ont nommé le postmoderne ne désigne peut-être qu'une rupture ou du moins une fêlure, entre un "pro" et l'autre, je veux dire entre le projet et le programme. [...] Parmi les événements que le programme s'efforce de neutraliser autant qu'il peut, il faut, hélas, compter aussi sur les effets imprévisibles qu'engendrent la contingence et la liberté propre au projet humain[1] ». Les changements de paradigmes rendent désormais difficile la conception de l'homme comme *projet*. Et avec une liberté ainsi réduite, c'est l'humanité dans son ensemble qui demande à être repensée.

Une fois encore, on ne peut imaginer que ce passage d'un monde qui se raconte, qui se pense, à un monde qui se *regarde* n'a pas d'effet sur notre vision du moi. Mais, avant cela, il faut déterminer de quelle *représentation* cette image-éphémère est porteuse.

De l'image sans « représentation » ?

« En 2001, il s'est pris dans le monde 86 milliards de photographies, la plupart argentiques et développées sur

---

1. Jean-François Lyotard, *op. cit.*, pp. 71-73.

papier. En 2012, il s'en est pris 850 milliards, pour la plupart numériques, jamais développées mais mises en circulation sur les réseaux, envoyées aux amis », rappelle le philosophe Yves Michaux. L'impact, poursuit-il, n'est pas le même : « On a […] affaire à un changement total de monde. D'un monde où la photographie enregistrait et fixait les choses… on passe à un monde où prolifèrent les images. Des images devenues fragiles et flottantes (elles ne seront pas fixées), des images faites à la va-vite parce qu'on n'a plus la contrainte de réussir la photo maintenant qu'a disparu la pellicule qu'il ne fallait pas gâcher vu son prix, des images à la portée de n'importe qui tant la prise en main des appareils est simplifiée par les logiciels, des images qui ne seront plus de "vraies images" puisque les logiciels d'amélioration, de correction et de retouche sont inscrits dans l'appareil photographique lui-même[1]. » Donc, non seulement les images, les photos ne « fixent » plus la réalité, mais en plus elles la modifient en permanence – y compris le modèle qu'elles représentent. Or, « par la photographie, dénonce Raymond Ruyer dans son *Éloge de la société de consommation*, et par la transmission des images photographiques, on donne l'impression de la réalité même – non interprétée comme elle l'était toujours autrefois, par le dessin, l'art, la représentation verbale. Impression fausse bien entendue[2]. » Photoshop est venu à bout du *punc-*

---

1. Yves Michaux, « Le déluge des images », philomag.com, 14 février 2013.

2. Raymond Ruyer, *Éloge de la société de consommation*, Paris, Calmann-Lévy, 1969, p. 88.

tum barthésien, ce « détail poignant qui viendrait piquer le réel dans sa vérité » pour nous saisir d'émotion, pour nous faire tressaillir de sensation photographique.

« Nous sommes passés d'une société pauvre (parfois même totalement privée d'images) à une société qui croule sous les images, renchérit Yves Michaux. Et nous les regardons autrement qu'à l'époque de la pénurie : avec inattention, en zappant, en scannant les séries, même s'il se trouve toujours quelque part quelqu'un qui fera attention au petit détail que tous ont manqué. Nous sommes aussi passés d'une société où les images même privées pouvaient être rendues publiques, à une société où toutes les images sont publiques même celles qui devraient rester privées[1]. »

Nous vivons à l'heure de la consécration de l'image... Or, qu'est-ce qu'une *image* ?

Depuis Platon jusqu'à Sartre, en passant par Bachelard, Fichte ou Nietzsche, sans oublier Rousseau ou Bergson, une grande partie des philosophes ont défini ce que pouvait être une image[2]. Sans revenir sur cette longue tradition philosophique, nous retenons le fait qu'une image peut être une espèce de *simulacre*, c'est-à-dire une apparence. Le simulacre

---

1. Yves Michaux, art. cit.

2. Nous nous appuyons notamment sur quatre ouvrages : François Dagognet, *La Philosophie de l'image*, Paris, Vrin, 1986 ; Jean-Claude Gens et Pierre Rodrigo (sous la dir. de), *Puissances de l'image, op. cit.* ; Marie-José Mondzain, *Le Commerce des regards*, Paris, Seuil, 2003 ; et Emmanuel Alloa (sous la dir. de), *Penser l'image*, Paris, Les Presses du réel, 2010.

ne renvoie à aucune réalité, alors même qu'il prétend incarner cette réalité elle-même : c'est le sens de l'*eidôlon* (εἴδωλον), comme nous l'avons vu. Ainsi, une image est une sorte d'*ersatz* de ce qui est – ou encore un « reflet » de la réalité. Or, notre société contemporaine, d'avoir perdu ses *icônes*, a fabriqué de nouvelles *idoles* dont l'image est le symbole. Un monde qui ne se réduit plus qu'à sa « représentation »[1]. C'est la réalité qui s'effrite, qui s'étiole, au point de n'être plus qu'un semblant.

Nous avons dit précédemment que le monde peinait à se raconter, préférant se contenter d'être vu. Si bien que *voir* semble se substituer à *penser*. Mais une objection se présente : l'image n'est-elle pas aussi langage ?

L'image est-elle encore *langage ?*

Le 21 mai 2014, Jean-Luc Godard surprenait à nouveau son public en présentant au festival de Cannes *Adieu au langage*, son quarante-septième long-métrage. « Le propos est simple. Une femme mariée et un homme libre se rencontrent. Ils s'aiment, se disputent, les coups pleuvent. Un

---

1. Le terme de représentation renvoie à l'idée de « rendre présent » ou encore à « l'action de replacer devant les yeux ». En ce sens, la représentation est avant tout « présentification », en rendant présent quelque chose d'absent, notamment par le biais de l'image mentale. Dans un sens général, la représentation renvoie à l'image que l'on a du monde. Toutefois, cette « image » du monde, n'est pas nécessairement une « vérité » du monde.

51

chien erre entre ville et campagne. Les saisons passent. L'homme et la femme se retrouvent. Le chien se trouve entre eux. L'autre est dans l'un. L'un est dans l'autre. Et ce sont les trois personnes. L'ancien mari fait tout exploser. Un deuxième film commence. Le même que le premier. Et pourtant pas. De l'espèce humaine on passe à la métaphore. Ça finira par des aboiements. Et des cris de bébé[1]. »

Jean-Luc Godard confirme une tendance générale : le film s'ouvre sur un jeu profond qui prend de plus en plus de sens au moment où il montre clairement la mort du langage, quand la compréhension ne passe plus par les mots. Le cinéaste filme ici d'une manière spécifique qui donne d'autant plus de poids à sa démonstration : mouvements de caméra, visibilité de l'œil de l'objectif, impression que l'important se passe hors champ. Le langage dans sa définition classique et dans son usage courant de vecteur d'échanges et de compréhension (rapport signifié/signifiant) est amené à être questionné. D'ailleurs, le film fait la part belle aux nouvelles technologies en montrant notamment, dès les premières séquences et de manière très explicite, le délaissement des livres au profit des téléphones portables et de la recherche sur Internet. Ainsi, la mort du langage se fait l'écho d'une prolifération d'images-sans-sens.

Or, reprenons ici la question de la philosophe Marie-José Mondzain : « Qu'est-ce que voir ? Qu'est-ce que voir

---

1. « Le résumé d'*Adieu au langage* rédigé par Jean-Luc Godard », tweet du 18 avril 2014.

quelque chose ? Qu'est-ce que voir une image[1] ? » Il est clair que sa définition de « représentation dans l'esprit, dans l'âme », qui est celle du Littré[2], sous-tend l'idée que l'image soit langage. Nous pensons *par* et *dans* les mots. Il est inimaginable de concevoir une pensée en dehors du langage, et en cela toute image mentale est résidu du langage. Toutefois, comme l'explique déjà Roland Barthes : « Selon une étymologie ancienne, le mot image devrait être rattaché à la racine de *imitari*. Nous voici tout de suite au cœur du problème le plus important qui puisse se poser à la sémiologie des images : la représentation analogique (la "copie") peut-elle produire de véritables systèmes de signes et non plus seulement de simples agglutinations de symboles[3] ? » Roland Barthes rappelle que souvent l'image a mauvaise presse en ce qui concerne le rapport au sens : et le sens commun la cantonne à une « re-présentation », la limitant à une singerie de la réalité.

Pourtant, force est d'admettre que l'image porte en elle une forte charge symbolique. Dès lors, « comment le sens vient-il à l'image ? Où le sens finit-il ? et s'il finit, qu'y a-t-il

---

1. Marie José Mondzain, *Homo spectator*, Paris, Bayard, 2013, p. 17.

2. Le Littré nous renseigne sur plusieurs acceptions de ce terme, dont l'étymologie latine, *imago*, signifie « ressemblance », notamment : « 1. Ce qui imite, ce qui ressemble, ressemblance[...]. 7. Représentation des objets dans l'esprit, dans l'âme. L'esprit conserve des images de ce que nous avons vu [...]. 8. Idée [...]. 9. Description [...]. 10. Métaphore, similitude. »

3. Roland Barthes, « Rhétorique de l'image », in *Communications*, 4, « Recherches sémiologiques », 1964, pp. 40-51.

au-delà? [...] Le message linguistique est-il constant? Y a-t-il toujours du texte dans, sous ou alentour de l'image?». Le philosophe prend l'exemple des sociétés d'avant le livre, «pareillement analphabètes», pour lesquelles l'image se faisait indéniablement langage, une espèce de «pictographie de l'image». Avec l'apparition du livre, elle est passée au second plan et s'est trouvée reléguée à une sorte d'illustration. «Aujourd'hui, au niveau des communications de masse, ajoute Roland Barthes, il semble bien que le message linguistique soit présent dans toutes les images [...]; on voit par là qu'il n'est pas très juste de parler d'une civilisation de l'image : nous sommes *encore* et plus que jamais une civilisation de l'écriture, parce que l'écriture et la parole sont toujours des termes pleins de la structure informationnelle»[1]. Certes, l'image et le langage vont de pair, mais le «encore» (c'est moi qui souligne) de Barthes laisse à la fois entrevoir une question et un possible après. Et cinquante ans après ses mots, nous sommes pleinement dans une civilisation de l'image!

Or, l'image est langage parce qu'elle s'interprète et qu'on estime qu'elle est chargée de sens. De plus, elle s'interprète parce qu'on estime qu'il y a continuité et flot cohérent, rationnel, dans le déroulé imagé. Ce n'est plus tout à fait ce qu'on constate actuellement, car nous n'avons plus un rapport à l'image qui soit signifiant (impliquant une *durée* propre au déroulé des images) ; mais un rapport à l'image *immédiat, instantané* : on ne prend plus le temps (ni

---

1. Roland Barthes, « Rhétorique de l'image », art. cit.

l'espace) pour que l'image puisse être pleinement donnée au sens ou à l'interprétation. Il n'y a plus assez d'espace pour que la pensée du monde puisse s'étaler en une grammaire rationnelle et structurale : « L'extrême variété de ces applications [de l'image numérique] montre une adaptation rapide aux outils connectés, ainsi que le développement d'une nouvelle compétence : la capacité à traduire une situation sous forme visuelle, de façon à pouvoir en proposer un relevé bref, souvent personnel ou ludique – une forme de réinterprétation du réel qui rappelle "l'invention du quotidien" chère à Michel de Certeau[1]. »

Ainsi l'image marque à la fois l'expression de l'effacement du langage et la naissance d'un nouveau langage où l'interprétation n'est plus une priorité. La vision du monde doit désormais s'appréhender à partir de son *eidôlon*, c'est-à-dire de son simulacre, de son semblant. Mais qu'est-ce que cela signifie ?

De l'image instantanée et éphémère

Le monde semble donc se réduire à son *simulacre*. Certes, mais un « je[2] » de simulacres fait d'images instantanées – des images qui ne durent pas, qui s'effacent sans s'imprégner,

---

1. André Gunthert, *L'Image partagée*, Paris, Textuel, 2015, pp. 145-146.

2. Pour reprendre Marie-José Mondzain qui en ce sens interroge « l'histoire de l'expérience subjective que représente la naissance du voir chez le sujet qui vient au monde alors que sa naissance a déjà eu lieu », in *Homo spectator, op. cit.*, p. 28.

qui, sitôt qu'elles apparaissent, disparaissent et sont remplacées par d'autres. Comme le note André Gunthert, spécialiste d'histoire visuelle : « La victoire de l'usage sur le contenu est particulièrement flagrante avec Snapchat (2011), une application mobile de messagerie visuelle qui propose l'effacement de la photo quelques secondes après sa consultation. Le caractère protégé de la conversation comme la fugacité du message iconique ont fait le succès de ce média auprès de la population jeune, qui l'utilise à un rythme proche du SMS. [...] L'application illustre clairement l'abandon du territoire de l'œuvre et de l'élaboration au profit de la conversation en acte[1]. »

Il s'agit désormais d'acter l'image-éphémère comme « nouveau langage ». Elle se substitue aux mots, aux récits, aux phrases... Des images éphémères qui n'ont pas le temps – ni la place – de *dire* ou de *raconter*. Des images qui ne sont plus des empreintes mais des passages, des fulgurances qui n'ont pas le temps de « penser » la réalité ni de la restituer. Si bien que, « comme l'arrivée du cinéma ou de la télévision, celle de l'image conversationnelle transforme en profondeur nos pratiques visuelles. La photographie était un art et un média. Nous sommes contemporains du moment où elle accède à l'universalité d'un langage ».

Un langage dont le contenu diffus est à ce point aléatoire, source de confusion, à la fois très simple et irréductible à cette simplicité, qu'il ne permet plus d'établir des échanges en profondeur. D'ailleurs, ce n'est pas là son but. L'image

---

1. André Gunthert, *op. cit.*, p. 149.

conversationnelle dont parle André Gunthert n'offre une « conversation » qu'en apparence, quand on sait que l'étymologie latine de *conversatio* renvoie à la « fréquentation ». Or, dans les images conversationnelles, il n'y a pas de mise en présence qui rende possible la fréquentation. Dans les images conversationnelles, l'autre n'a pas d'odeur, pas de goût.

Et ce qui est indéniable, c'est que l'avènement d'un nouveau langage n'est pas sans conséquence. Ainsi, « l'appropriation du langage visuel fait assister à une réinvention du quotidien. Par ailleurs, l'extension de l'utilité des images pose des problèmes spécifiques à l'analyse. Si la sémiologie des formes visuelles s'était jusqu'à présent appuyée sur un registre étroit de contextes présupposés, réputés identifiables à partir du seul examen formel, la variété de ces nouvelles applications impose de se tourner vers une ethnographie des usages[1] ». En ce sens, l'image n'est plus seulement une *représentation*, mais une *apparition* qui ne laisse que peu de place au sens, à l'interprétation. Ces « images conversationnelles » en restent au stade du « formel de la forme », c'est-à-dire qu'elles ne disent rien de plus que ce qu'elles montrent : à la fois interprétables à l'infini (donc non signifiantes) et en même temps figées dans ce qui est représenté (donc limitées dans le sens). Si bien qu'elles ne font plus trace ni empreinte, mais passent sans *rien dire*. Et si elles ne peuvent plus être porteuses de sens, c'est parce qu'il est impossible de retenir ou même de rattraper l'image… car elle est éphémère.

---

1. *Ibid.*, p. 150.

Ce néo-langage porte un nom. Présent surtout chez les jeunes, le *pic speech* – littéralement « discours par l'image » – est « une langue à dimension globale puisqu'elle s'appuie sur des outils et des technologies diffusés mondialement[1] », remarque Thu Trinh-Bouvier, spécialiste de la communication digitale. Et d'ajouter un peu plus loin : « Que ce soit sur Facebook, Instagram, Snapchat, Twitter ou Whatsapp, le *pic speech* se développe à l'intérieur de ces différents espaces : sites Web sociaux, applis mobiles, applis de messagerie instantanée. » Le *pic speech* est langue généralisée (car il rassemble et fédère tous les jeunes de la planète), ce qui est inédit dans l'histoire d'une langue, mais pas pour autant langue universelle, car il n'est pas nécessairement compris par tous. Cette langue s'inscrit particulièrement dans l'immédiat : « Dans cette recherche d'immédiateté conversationnelle, la vitesse a toute sa place. Le *pic speech* s'inscrit dans un temps court, impatient. Il y a une urgence palpable dans le rapport au monde qui transparaît fortement dans cette langue. Les jeunes recherchent avant tout des modes de communication rapides et simples, d'où l'utilisation, pour le moment, plus importante des images que des vidéos : les fichiers image étant plus légers, ils savent qu'ils vont arriver plus rapidement à leurs interlocuteurs[2]. » L'image est devenue urgence, à tel point que le contenu qu'elle contient devient secondaire. Cela se vérifie avec Snapchat

---

1. Thu Trinh-Bouvier, *Parlez-vous pic speech, la nouvelle langue des générations Y et Z*, Bluffy, Éditions Kawa, 2015, p. 39.
2. *Ibid.*, p. 70.

dont l'utilisation a explosé en 2013 (160 millions de photos partagées par jour en avril 2013 contre 20 millions en octobre 2012). Ainsi, « cette tendance fait entrer de plain-pied le *pic speech* dans le langage semi-parlé semi-écrit où il n'y a plus de trace de nos propos que dans la mémoire subjective de chacun des protagonistes (l'envoyeur et le récepteur). »

Désormais, il est possible d'échanger sans s'interrompre avec son interlocuteur, jusqu'à poursuivre un dialogue de sourds. « Snapchat, avec ses modifications qui me permettent de voir immédiatement si quelqu'un m'a envoyé un swap, ou les textes dont les alertes sonores me signalent l'arrivée d'un nouveau message intensifient ce fil continu d'interactions via l'image. Un dialogue en continu où le temps de réactivité joue son rôle puisqu'ils (les jeunes) répondent la plupart du temps au tac au tac[1]. »

Je rejoins tout à fait ces analyses de Thu Trinh-Bouvier, mais ce sur quoi je voudrais encore insister, c'est le contenu de la conversation qui, rappelons-le, parce qu'elle reste « informelle » (dans le sens de ce qui n'a plus de forme, de contenu explicite) et qu'elle est toujours expression d'une urgence, ne permet plus d'*échanges* réels, au sens socratique du « dialogue ». Le dia-logue est ce qui se fonde sur une argumentation en tant qu'il est traversé de part en part par le *logos*. Or l'illustration du *pic speech* ne rend justement plus possible cette traversée. En ce sens, il montre parfaitement

---

1. *Ibid.*, p. 49.

le vide de contenu conversationnel et rationnel de nombre de nos échanges contemporains sur le Net.

Cette modification de notre perception de l'espace-temps et ce recul du langage au profit d'une nouvelle manière de communiquer par le biais d'images éphémères (*eidôlon*) nous ouvrent enfin les portes d'une réflexion riche au cœur de l'acte selfique : le rapport au moi.

3

Une révolution moïque

Les métamorphoses du moi

On ne peut penser au selfie sans poser la question de l'image de soi et plus largement celle du *moi*. Réaliser un selfie, est-ce un acte narcissique ? Et si tel est le cas, qu'est-ce que cela dit de *moi* ? Enfin, le fait de pouvoir réaliser une photo de soi-même – un « egoportrait » – par l'intermédiaire d'un objet-écran qui devient ainsi un véritable intermédiaire entre mon moi intérieur et l'image de moi, puis de le poster sur les réseaux sociaux, a-t-il des répercussions sur la nature profonde de notre moi ?

Le moi dans tous ses états

Tout d'abord, nous devons nous entendre sur ce qu'on appelle le « moi ». Jusqu'à Freud qui en a bouleversé la définition, le moi était avant tout une expérience (en tant qu'on l'éprouve, sous la forme d'une intériorité) en même temps que condition de l'expérience (il peut être assimilé à la conscience comme « sujet pensant », « condition de possibilité de la pensée dans le temps »). Du moi, nous avons conscience : non seulement j'existe, mais en plus je le sais. Il est aussi associé au raisonnement, il possède plusieurs facultés qui lui sont propres. Le moi renvoie à l'identité : malgré tous les changements, les modifications, les projections (le fait que la conscience humaine soit capable de se souvenir par le biais de la mémoire, ou encore de se projeter, par le fait de l'anticipation), le moi s'éprouve comme étant toujours identique à lui-même (ce qui n'empêche pas de se questionner sur le contenu à donner à cette identité). La causalité enfin : le moi est à l'origine de ses actes, il décide pour lui-même, et l'action est le résultat de sa volonté. Le sentiment du moi est donc ce qui fait qu'une personne est une personne, définie comme un « sujet libre », c'est-à-dire conscient de lui-même, indivisible et identique à ce qu'il est, cause de ses actes.

Avec les développements freudiens et la psychanalyse, cette conception de la conscience et du sujet a été remise en cause. Freud fait du moi une instance psychique, qui se distingue du fonctionnement inconscient, et qui implique que désormais « le moi n'est plus le maître en sa propre demeure ». L'inconscient remet en question nombre des qualités du moi en tant qu'une part de lui-même lui échappe ; il lui devient difficile de définir son identité, que des actes inconscients viennent contredire ; et sa causalité est ébranlée dans la mesure où certains actes peuvent être la conséquence d'une pulsion et non d'un choix conscient délibéré.

La révolution numérique, elle aussi, vient bouleverser la définition du moi, à cause des changements de paradigmes qu'elle a entraînés, d'une part ; et du rôle que joue l'objet-écran, d'autre part.

Tout d'abord : notre nouveau rapport à l'espace et au temps rend difficile une saisie de soi sous la forme d'une introspection. Il est clair que l'époque est moins celle de l'intériorité que celle de l'extériorité. L'introspection (cette capacité à plonger à l'intérieur de soi) requiert du temps, un temps qui n'est pas dédié à l'efficacité ni à la productivité, un temps intérieur qui s'égrène à un rythme qui entre en contradiction avec celui de l'hypermodernité. Puis, l'intériorité nécessite le déploiement d'une profondeur qui n'est plus une priorité à l'heure du virtuel (c'est ce que j'ai désigné comme le passage d'une spatialité verticale à une spatialité horizontale). Ensuite, le règne de l'image éphémère ne facilite pas la réappropriation de soi sous la forme d'un récit intérieur, d'une pensée construite, d'un questionnement philosophique ou encore d'un soliloque. L'époque de Descartes était certainement plus propice à ce genre de mouvement intérieur que ne l'est la nôtre.

Ensuite, l'objet-écran qu'est par exemple le smartphone est devenu une sorte d'extension de nous-même. L'homme augmenté ne l'est pas seulement par l'ajout de matière à son organisme ou encore par le développement de l'intelligence artificielle, il l'est aussi par l'omniprésence du virtuel greffé à ses neurones grâce notamment à l'écran du smartphone. En 2007, Gilles Lipovetsky et Jean Serroy avaient ainsi souligné le phénomène «global» que représente la multiplication des écrans – et donc des images – dans notre quotidien : « L'homme d'aujourd'hui et de demain, relié en permanence par son mobile et par son ordinateur à l'ensemble des écrans, est au cœur d'un réseau dont l'extension marque les actes de sa vie quotidienne[1]. » Le règne de l'*eidôlon* consacre la puissance « écranique » et marque l'aliénation de l'homme à cet objet. « On est en droit de penser qu'on est maintenant entré, avec l'ordinateur grand public, dans un troisième moment (après ceux du cinéma et de la télévision). L'immédiateté, l'interactivité, la disposition infinie de tout à portée de clic : travailler et jouer sur écran, communiquer par écran, s'informer par écran [...] » « L'homme stochastique »[2] – celui qui est branché en permanence – existe grâce aux écrans. Or, face à cette double face de soi ou à cette *inter*-face, la question de la multiplicité et de la métamorphose du moi se pose : quel est le *sujet* qui se « représente » sur écran ? Y a-t-il scission entre ce que je ressens de moi et ce que je représente de moi ? Et, surtout : le moi intérieur n'en vient-il pas à s'effacer, à s'évanouir ou à se modifier au contact de ce « double » virtuel ? Toute la question est désormais là : « Être sur écran ou ne pas être[3]. »

---

1. Gilles Lipovetsky et Jean Serroy, *L'Écran global*, Paris, Seuil, 2007 ; rééd. « Points », 2011, p. 282.
2. Titre du roman de Robert Silverberg (Paris, Laffont, 1977), emprunté ici à Nicole Aubert et cité par Pauline Escande-Gauquié, *Tous selfie !*, Paris, Éditions François Bourin, 2015, p. 108.
3. Gilles Lipovetsky et Jean Serroy, *op. cit.*, p. 329.

Selfbranding *dans l'egosphère*

Le *selfbranding* ou l'autopromotion de soi par le selfie au cœur de l'egosphère est un vrai succès ! Impossible de passer outre cette publicité gratuite et efficace de soi. Avec le selbranding, le moi devient une marque, un label, un produit marketé. Il est si simple de faire parler de soi simplement en se montrant : cela fait monter la cote de notre pouvoir social, assure un moment de popularité immédiat. Si bien que, « dans une époque où chacun peut devenir le réalisateur-distributeur de sa propre image de soi en même temps que l'acteur de son propre film, le désir qui se dit est celui de s'élire soi-même vedette, de devenir une espèce de héros iconique[1] ».

Avec le selbranding, le visage selfique ne se contente plus d'être image (*eidôlon*) mais aussi icône (*eikôn*), invitant à la fascination, à l'adulation, à l'adoration, et ce, grâce à la popularité. Se contenter d'exister ne suffit plus : il faut se vendre ! Ainsi, l'icône selfique s'érige en une nouvelle divinité qu'il s'agit d'adorer à tout prix au nom de la société de consommation, à l'exemple de toutes ces publicités « photoshopées » où la beauté d'un visage féminin est à ce point lissée qu'on en vient à douter de son humanité. L'une des reines de ce selbranding selfique est la starlette Kim Kardashian, connue entre autres pour sa croupe hors normes et pour la mise en scène permanente de sa vie qu'elle exhibe

---

1. Gilles Lipovetsky et Jean Serroy, *op. cit.*, p. 325.

dans une téléréalité. Déesse incontestée du selfie, elle a publié en avril 2015 *Selfish*[1], recueil qui rassemble ses selfies les plus célèbres. Kim Kardashian s'est en effet imposée précisément grâce à ses selfies postés quotidiennement sur le Web. *Selfish* n'a pas été un très grand succès en librairie (32 000 exemplaires auraient été vendus aux États-Unis les trois premiers mois, environ 125 000 au niveau international), mais, comme le constate Pam Sommers, responsable de la publicité de sa maison d'édition, l'important n'est pas là : « Le livre est en fait une réussite significative, comme point de repère du phénomène de l'autoportrait dans l'ère numérique. »

Certes, mais si Kim Kardashian a fait du selfie sa marque de fabrique et surtout un véritable business, tout le monde ne se trouve pas dans la même démarche. Et l'autopromotion, dans un registre plus anonyme, peut prendre une autre forme que celle de la pure publicité : celle de l'estime de soi.

S'autoproclamer vedette, transformer son image en la faisant coïncider avec un idéal de soi, un peu comme si un magicien nous offrait la possibilité de nous transformer d'un clic de baguette magique, a certes de quoi regonfler l'estime de soi. Cette transposition où la pose choisie vient célébrer l'ego peut aider à combler un vide narcissique, le temps de se trouver « beau » ou « belle » sur l'image. À l'estime de soi fait écho la confiance en soi : plus quelqu'un s'estime, plus grande est la confiance qu'il a en lui-même.

---

1. Kim Kardashian, *Selfish*, New York, Rizzoli, 2015.

L'acte selfique peut ainsi être envisagé sous cet angle : une personne qui réalise beaucoup de selfies manquerait de confiance en elle et chercherait à se rassurer en se renvoyant à elle-même une meilleure image – sur laquelle, parce qu'elle est photographiée, elle pourra revenir régulièrement, histoire de reprendre un petit coup d'estime de soi. De plus, en la soumettant au regard de l'autre sur les réseaux sociaux, par le nombre de *like* qu'elle recevrait, elle se trouverait confortée dans la bonne opinion qu'elle a d'elle-même (précisons qu'à ce jour il n'y a pas de *dislike*). Le selfie aurait donc vertu à nous rassurer – et il révèle ici l'importance de l'image pour avoir une bonne estime de soi, quand bien même cela passerait par du selbranding dans une « egosphère décomplexée », selon la jolie expression de la sémiologue Pauline Escande-Gauquié[1].

Ainsi, le selfie peut être l'expression d'une fragilité narcissique. Mais un moi ainsi mis sur le devant de la scène grâce aux nouvelles technologies et une iconisation de soi ne peut être sans conséquences sur son identité…

Je selfie, donc je suis

L'*ego*, terme qui se retrouve aussi au cœur du selfie dans l'expression canadienne d'« egoportrait », renvoie à la représentation et à la conscience de soi. Il est très proche de la notion de « sujet » développée dans la pensée de Descartes. Le sujet est conscience de lui-même. La personne qui se

---

1. Pauline Escande-Gauquié, *op. cit.*, p. 28.

considère en tant que sujet se rapporte à elle-même et se décrit en fonction de certains actes, pensées, perceptions, sentiments, désirs, etc. Ce qui lui confère sa qualité de sujet, c'est précisément qu'elle est douée d'une essence et d'une existence. C'est la capacité du sujet de subsister, en d'autres termes, ce qui le fonde (son *hypostase*)[1]. En ce sens, *l'essence du sujet est son existence* : par exemple, l'essence de Pierre est d'être homme, un homme qui existe et qui se définit par son existence. Pierre est sujet. Ainsi, le sujet tire son origine de lui-même.

Descartes a une conception du *cogito* comme sujet assuré de sa propre existence, n'ayant nullement besoin du monde pour être pleinement conscient de lui-même. J'existe, *sum*. C'est une certitude. Je suis une chose qui pense, qui se distingue de toute matérialité corporelle. Mais qu'est-ce qu'une chose qui pense ? C'est une chose qui s'interroge, sur le monde, sur les autres, sur soi. C'est un sujet qui a conscience du caractère problématique de son existence. Pour Descartes, l'approche est quasi empirique : une chose qui pense, c'est une chose qui doute, qui nie, qui conçoit, qui imagine, qui sent. *Je pense, donc je suis.*

---

1. L'étymologie latine de sujet est *subjectum*, ce qui signifie « placé au-dessous, mis sous, soumis », équivalent du terme grec *hupokeimenon*. *Hupostasis*, l'hypostase, définit de même ce qui a été placé en dessous – les deux termes sont très proches. Ainsi, le *subjectum* est le substrat, le support, la chose dont on parle et à laquelle nous attribuons des qualités. Voir André Lalande, *Vocabulaire technique et critique de la philosophie*, Paris, PUF, 2010 (18ᵉ édition).

Les changements de paradigmes que j'ai évoqués – notamment ceux du temps et de l'espace qui rendent problématique le déploiement de la pensée, mais aussi sa nécessaire intériorisation (il faut du temps pour construire une argumentation ; il faut de l'espace pour qu'elle puisse s'étaler...) –, le passage du *logos* à l'*eidôlon* où le règne de l'éphémère rend difficile l'enracinement des fondements conceptuels mettent à mal le *cogito* de Descartes. D'ailleurs, avec l'effacement du *logos*, penser ne semble plus être une priorité. L'heure est à l'usage, à l'utilisation, à la chosification. L'heure est à la consommation insatiable. Au *Je pense, donc je suis* qui acte de la présence du sujet, de la conscience de soi et du libre arbitre, notre monde répond par le *Je selfie, donc je suis*. Au *je* cartésien conçu comme ouverture à soi-même, notre contemporanéité répond par le *je* du selfie, marque d'un profond questionnement identitaire.

En effet, avec le selfie, nos existences ne se rapportent plus à l'essence, mais essentiellement à l'image. Et à force de jouer à n'être que représentation d'images, nous finissons par n'être plus que le sujet de nos représentations. Peu à peu nos existences, tout en s'enrichissant du virtuel, s'appauvrissent du réel pour se réduire à la facticité d'un visible sans arrière-monde, sans arrière-fond. À un visible sans interprétation, qui ne dit rien d'autre que ce qu'il montre. Le selfie par la monstration est négation de la démonstration ; parce qu'il fige dans le virtuel, il limite le sujet dans le réel. Nous sommes au cœur de la problématique de la subjectivité à l'heure du virtuel : la rencontre de deux moi, le moi réel et le moi virtuel.

Je selfie donc je suis

Je selfie, donc je suis révèle cette métamorphose du moi, en pleine mutation. Un moi à la recherche de sa nouvelle définition – une définition qui oscille entre le réel et le virtuel. Un moi en questionnement permanent, car en quête identitaire incessante. Or, ce questionnement identitaire est aussi doute de soi, marque d'absence de confiance en soi : n'est-ce pas cela que traduit le nombre de *like* que l'on espère récolter par l'adhésion du regard de l'autre ? Un doute de soi, un manque de confiance en soi, une mésestime de soi. Ainsi, plus je doute de mon moi et plus je selfie…

Toutefois, plus je selfie et plus je doute. Cercle vicieux qui enferme le moi et le condamne à une gestation permanente et inéluctable, sans horizon d'éclosion, en mouvement perpétuel. Le problème est qu'il est difficile de sortir du doute de soi : le regard des autres, contrairement au *cogito* cartésien, ne suffit pas à changer le regard que l'on porte sur soi. Le nombre de *like* ne sera jamais suffisant. Aussi, ce qui aurait vertu à rassurer, peut au contraire être source d'inquiétude.

Le stade du selfie

Le selfie est l'expression d'un questionnement inédit du sujet dans la mesure, où ce qui vient l'interroger, ce n'est plus lui-même, ce n'est plus l'autre, c'est la machine. Désormais, dans le rapport à lui-même, dans le rapport à soi, un intermédiaire vient jouer le rôle d'un prisme (déformant ou pas ? modifiant ou pas ?) : « l'objet-écran ». Ce bouleversement numérique invite à repenser la subjectivité, à commencer par la construction du sujet. Il y a une analogie intéressante à relever avec le « stade du miroir » tel que le définit le psychanalyste Jacques Lacan, où le miroir serait remplacé par l'écran du smartphone.

Pour Lacan, le sujet se constitue, bien avant la naissance, dans le discours des parents : un enfant, avant même de naître au monde, est déjà « pensé » et « parlé », il « existe » dans le désir de ses parents. Ce qui lui confère une sorte d'existence préétablie dans les mots, dans le dire. Mais, dans ce discours qui lui préexiste, le sujet ne peut être que « représenté ».

Plus tard, le petit homme a besoin d'être reconnu et, pour cela, d'être parlé : que ses parents le « nomment », parlent de lui. Mais il risque de confondre les représentations de lui – par exemple l'image que lui renvoient ses parents par leur discours – avec sa propre image. Il s'y perd, recherchant la vérité de lui-même que le langage ne parvient pas à lui donner dans les images d'autrui auxquelles il s'identifie. Entre 6 et 18 mois, quand il se découvre dans un miroir, il prend alors conscience de l'unité de son corps et y prend plaisir. C'est le « stade du miroir » : il s'y reconnaît comme entier et s'identifie à son reflet spéculaire. Il se voit aussi désormais tel que le voient les autres. Aussi, « le moi est absolument impossible à distinguer des captations imaginaires qui le constituent de pied en cap : pour un autre et par un autre[1] », rappelle Lacan. (Tel sera justement l'un des

---

1. Jacques Lacan, *Écrits*, Paris, Seuil, coll. « Le champ freudien », 1966, p. 374.

buts de la cure analytique : parvenir à déconstruire les identifications aliénantes afin que la vérité du sujet puisse advenir[1]. Il s'agira de parvenir à ce que le sujet puisse accéder à son propre désir[2].)

Or la pratique du selfie marque une nouvelle manière, inédite et singulière, par laquelle le sujet s'appréhende : désormais, celui-ci doit être redéfini en fonction de cette nouvelle matrice. Le moi ne peut plus s'appréhender sans son avatar, le moi virtuel. C'est ainsi que nous sommes passés du stade du miroir au *stade du selfie*.

Tout comme dans le stade du miroir, l'image est précisément ce qui constitue le sujet comme tel. À l'heure de l'échographie en 3D, on est déjà loin du sujet qui se constitue dans le discours de l'autre : avant même d'être dit, il préexiste comme image ! Alors que, face au miroir, c'est la conscience de soi qui se joue, comme conscience réflexive et dissociation du corps de l'autre – une conscience qui naît aussi à partir du et dans le langage –, dans le selfie, si la

---

1. Lacan traduit ainsi la célèbre phrase de Freud : « Où Çà était, Je dois advenir. »

2. Serge Leclaire, disciple de Lacan, nous donne une image parlante de ce processus, dans son livre *On tue un enfant* (Paris, Seuil, 1981) : selon lui, la tâche la plus difficile à accomplir pour chacun de nous est de perpétrer le meurtre de l'enfant merveilleux du désir de l'autre. Ce meurtre de l'immortel enfant est toujours à refaire, car il est nécessaire pour que notre désir puisse advenir. « Non, Je n'est pas ça. Il ne naît et renaît que d'une désintrication toujours à reprendre du corps et des mots ; d'une traversée perpétuellement à recommencer de la grille des signifiants. »

quête identitaire peut paraître analogue, en revanche, elle n'atteint pas la prise de conscience : avec l'effacement du *logos*, le dire, le langage, la pensée s'étiolent. L'écran continue de jouer un rôle majeur et l'image devient un vecteur de naissance d'une subjectivité virtuelle[1]. On en reste au niveau d'une subjectivité hybride aliénée à l'image et aux regards des autres : le sujet n'étant pas assuré de sa propre existence, il reste en attente de confirmation de lui-même en recherchant le maximum d'approbation de soi dans la multiplication des *like*. Tel est le sentiment auquel nous renvoie la subjectivité virtuelle.

Ainsi, ce que révèle le *stade du selfie*, c'est la constitution d'une nouvelle forme de subjectivité hybride, une subjectivité virtuelle. Une subjectivité qui peine à s'affirmer, en tension entre un sujet réel et son avatar, une forme de *subjectivité sans sujet*. Ce stade souligne un moment où la subjectivité est en pleine métamorphose, tout comme le moi qui ne cesse de s'interroger entre son éprouvé réel et sa représentation virtuelle. Cette tension est l'expression d'une période transitoire. La question est de savoir à quoi va aboutir cette nouvelle figure du moi, traversé et transformé de part en part par le virtuel ? Nous avons parlé de « réalité augmentée »,

---

1. Au point que Gilles Lipovetsky et Jean Serroy peuvent poser la question : « L'écran, devenu ainsi écran-monde, sera-t-il le fossoyeur des autres formes d'expression ? Dans l'empire du tout-écran, faut-il voir, comme certains le pensent, un processus destructeur, l'invasion barbare d'un Attila culturel, une entreprise d'annihilation de l'écrit-papier millénaire ? », *op. cit.*, p. 325.

« d'homme augmenté » : peut-être faut-il évoquer une « subjectivité augmentée » par l'intégration du virtuel au cœur de la constitution même du sujet ? En attendant, ce temps de métamorphose reste inconfortable, un moment douloureux, difficile. C'est pourquoi nous avons parfois le sentiment d'avoir tant de mal à vivre, tant de difficultés à exister, tant de peine à nous affirmer, tant d'angoisses à dépasser.

Le stade du miroir fait surgir le sujet réel ; le stade du selfie révèle le sujet virtuel. Au cœur de cette métamorphose, qui ne cesse de renvoyer le moi à un questionnement sur lui-même, se trouve posée avec force la question du narcissisme.

Le selfie de Narcisse

Narcisse est né du viol d'une nymphe par le fleuve Céphise. C'est un jeune homme particulièrement beau qui tombe amoureux de la nymphe Écho. Malheureusement, Écho est condamnée à ne répéter que la dernière syllabe qu'elle entend. De fait, elle ne peut répondre à l'amour de Narcisse qui, parce qu'il ne l'entend pas, a le sentiment de ne pas être aimé en retour.

Comme elle ne peut lui parler, Écho tente de le toucher. Narcisse la repousse et elle meurt. Face à ce dialogue impossible, Narcisse a aussi le sentiment d'être incapable d'aimer. Il sombre dans un profond désespoir. Il s'approche alors près d'une source pour étancher sa soif. C'est là qu'il aperçoit le reflet de son visage dans l'eau claire. Il tombe fondamentalement amoureux de ce qu'il découvre : son image le subjugue. Il admire tout ce qu'il y a de plus beau en lui : il se désire lui-même. Il est l'objet de son amour. Mais, devant l'impossibilité d'assouvir cet amour, Narcisse se laisse mourir. Il est alors transformé en fleur, celle qui porte son nom.

Le mythe de Narcisse est particulièrement intéressant à revisiter à l'aune de ce que nous avons établi jusqu'ici : Narcisse traverse une crise de l'image de soi, mais aussi un questionnement identitaire. Surtout, il est privé de dialogue. L'amour entre Écho et lui est rendu impossible par un quiproquo né de l'absence d'échange de langage entre eux. Et quand il rencontre le désir, c'est un désir impossible à embrasser, à combler.

Le narcissisme est une notion psychanalytique fondamentale, au cœur de la théorie freudienne[1]. Cette notion est aussi au centre de nos existences – présente dans nombre de

---

1. Le terme même de narcissisme est introduit par le psychiatre Paul Näcke (1851-1913), qui l'associe à une perversion. Il faut attendre 1909 pour que Freud décide d'en redéfinir le sens. Il en fait un des stades principaux du développement de la personnalité et lui consacre en 1914 un célèbre article : « Pour introduire le narcissisme. » Il y distingue un narcissisme primaire et un narcissisme secondaire. Le narcissisme primaire représente le moment où le bébé investit sa propre personne comme objet d'amour ; il ne distingue pas encore ce qu'il est du corps de l'autre (par exemple de celui de sa mère), il est à lui-même son propre objet d'amour (tout comme Narcisse dans le mythe). C'est ce qu'on appelle l'« auto-érotisme ». Ce n'est que plus tard que l'enfant pourra choisir un autre objet d'amour que lui-même en se tournant vers l'autre. Le narcissisme secondaire désigne alors « un investissement libidinal de soi qui se fait au détriment de l'investissement libidinal de l'autre ».

nos comportements. Dans un contexte où le sujet subit de vraies métamorphoses, il convient donc de repenser le rapport que nous entretenons avec elle.

Lorsque le sociologue Christopher Lasch décrit en 1979, dans *La Culture du narcissisme*, « l'homme psychologique de notre temps », il pointe déjà les débordements narcissiques dus aux modifications de notre société. Il note que le narcissisme ne doit plus seulement s'entendre au sens clinique du terme (tel que Freud l'a, par exemple, défini), mais plutôt comme véritable « métaphore de la condition humaine ». Ainsi, « nous vivons dans une période de l'histoire caractérisée par un écart très net entre le développement intellectuel de l'homme... et son développement affectif ou mental, écart qui le laisse dans un état de narcissisme marqué, avec son cortège de symptômes pathologiques[1] », commente-t-il. Et de rappeler, loin de la référence à Freud, l'ouvrage du psychanalyste Erich Fromm : « Dans *The Heart of Man* [Le Cœur de l'Homme], Erich Fromm vide le mot de sa signification clinique, mais en revanche lui fait couvrir, au niveau de l'individu, toutes les formes de "vanité", d'auto-admiration, d'autosatisfaction et d'autoglorification et, au niveau du groupe, toutes les formes de préjugés ethniques ou raciaux, d'esprit de clocher et de fanatisme... », perspective beaucoup plus proche de ce que nous vivons actuellement.

Il est évident que le narcissisme a pris une ampleur considérable dans le monde contemporain. Nous vivons à l'heure

---

1. Christopher Lasch, *La Culture du narcissisme*, trad. par Michel L. Landa, Paris, Flammarion, 2006, p. 62-63.

de la prédominance d'une culture de soi avec toutes ses illusions, ses faux dieux et ses mirages, bien différente du « souci de soi », si cher à la philosophie stoïcienne et à Michel Foucault. Dans une société autocentrée, qui nous entraîne dans les dérives d'un monde à la recherche d'une authenticité toujours plus grande, la vraisemblance est le maître-mot. « Les hommes ont toujours été égoïstes, et les groupes toujours ethnocentriques ; on ne gage rien à affubler ces traits d'un masque psychiatrique, ajoute Lasch. En revanche, le fait que les désordres du caractère soient devenus la forme la plus marquante de la pathologie psychiatrique, entraînant la modification de la structure de la personnalité tient à des changements tout à fait spécifiques de notre société et de notre culture : à la bureaucratisation, à la prolifération des images, au culte de la consommation... et en dernière analyse, aux modifications de la vie familiale et des modes de socialisation [1]. »

Ainsi se développe une nouvelle théorie du narcissisme, où le pathologique se mêle au social, avec en creux la question du sujet. Ouvrant aussi le champ à une clinique inédite dont on peut reprendre ici le rapide descriptif : « Ouverts plutôt que fermés aux aventures sexuelles, ces malades trouvent pourtant difficile de vivre pleinement la pulsion sexuelle ou d'en faire une expérience joyeuse. Ils évitent les engagements... Ces malades souffrent souvent d'hypocondrie et se plaignent d'éprouver une sensation de vide intérieur. Ils nourrissent en même temps des fantasmes d'omnipotence et

---

1. *Ibid.*, p. 64.

sont profondément convaincus de leur droit d'exploiter les autres et de se faire plaisir. Les éléments punitifs et sadiques prédominent dans le surmoi de ces malades, et s'ils se confrontent aux règles sociales, c'est plus par peur d'être punis que sous l'emprise d'un sentiment de culpabilité[1]. » Ces « malades du narcissisme » éprouvent en toute logique le sentiment d'un vide intérieur et ne vivent la jouissance que sur le mode de l'éphémère et du non-engagement (nécessairement, dans la mesure où l'autre est nié ; où il n'est envisagé que comme « moyen en vue d'une fin » narcissique et égoïste[2]). Dans ces conditions, la rencontre « réelle », comme rencontre de la différence et non plus d'un « autre que l'on tenterait de réduire à soi », devient difficile. En ce sens, « faire l'amour » deviendrait une sorte d'« onanisme à deux », dans une sorte de réduction du désir de l'autre à mon seul désir.

Le narcissisme est marqué par cette nouvelle vision du monde, ce qui ne cesse de le modifier en profondeur. Le rapport à l'objet d'amour (narcissisme primaire et narcissisme secondaire) est renversé dans la mesure où le moi s'illusionne en permanence en cherchant à se saisir sans jamais s'appréhender, aliéné à son image, de laquelle il a beaucoup de mal à se détacher, pour aller à la rencontre de l'autre et du désir de l'autre. Là encore, faire un selfie en est symptoma-

---

1. *Ibid.*, p. 69.
2. Ainsi, comme le note Charles Melman, sommes-nous passés « d'une économie organisée par le refoulement à une économie organisée par l'exhibition de la jouissance » (*L'Homme sans gravité*, Paris, Folio, 2005).

tique : c'est se servir de l'autre comme un moyen et non plus comme une fin, un moyen à la recherche de la satisfaction d'un désir narcissique. Quand on constate l'usage que les 15-25 ans font des photos sur Snapchat, on comprend qu'il est urgent de repenser – voire même de redéfinir notre rapport au narcissisme. « Avec certains de mes amis on ne communique que par snaps, tous les jours, on s'envoie des nouvelles en vrac et des photos », se vante cette adolescente. Des photos qui, comme on l'a dit, viennent remplacer les mots. Et, pour bon nombre, ces photos mises sur le site, sont des selfies. Si bien que Snapchat a lancé en septembre 2015 de nouvelles fonctionnalités pour customiser les selfies. Les « effets selfies » sont alors garantis, d'un goût incertain, mais à l'aspect ludique très sûr : les 100 millions d'utilisateurs de Snapchat ont de quoi s'amuser en enclenchant le mode selfie de l'appli. La jeunesse d'aujourd'hui, qui constitue la vie de demain, le garantit : « Je pense que j'utiliserai de plus en plus Snapchat parce qu'il y aura sans cesse des améliorations. C'est difficile de rendre compliquée une idée aussi simple[1]. » Et d'ajouter : « Snapchat est entré dans une niche parce que l'application répond aux besoins d'une génération que même ses créateurs n'avaient pas compris. Ce n'est pas que l'interface utilisateur soit compliquée, c'est qu'elle n'existe même pas[2]. » C'est sans doute ce qu'il y a de plus fort dans

---

1. En février 2015, *Business Insider* a pourtant publié un guide d'utilisation pour Snapchat, tant cette application est plus complexe qu'elle ne le laisse paraître.

2. *Ibid.*

ce rapport à l'image et plus particulièrement aux selfies : c'est qu'ils ne reposent sur aucun support, sur aucun fondement. Ils se sont érigés sur l'ère du vide et ont créé quelque chose au-dessus de ce vide.

Mais le selfie de Narcisse n'est pas sans conséquence. Le regard que l'on porte sur soi n'est plus le même parce qu'il est transformé par l'objet-écran. Nous l'avons vu : l'objet-écran, en tant qu'il est objet (donc objectivant), écran (donc réduction du moi intérieur à l'image extérieure) et connecté (intégrant littéralement le regard de l'autre dans le rapport à soi), modifie le moi intérieur en l'augmentant d'un moi virtuel. Au cœur de ce processus, se trouve bien évidemment l'image éphémère qui éloigne le sujet d'un discours fécond et constructif de lui-même. La notion d'image de soi devient encore plus imperceptible, insaisissable qu'elle ne l'était déjà. L'image éphémère envahit le monde au sens large, elle est devenue notre premier langage, souvent difficile à décoder. Serait-on revenu à l'époque des cavernes ?

Narcisse et Écho ont vécu le drame de l'incompréhension : ils sont condamnés à ne pas *s'entendre*, à ne pas se comprendre, à ne pas « se rencontrer ». Ils restent prisonniers de leur « moi », ne pouvant sortir d'eux-mêmes pour aller vers l'autre. Toute une symbolique à l'heure où les mots ont disparu au profit du *pic speech* !

Le vacillement du désir

« La question n'est pas seulement que le vécu humain soit soutenu par le désir, mais que le sujet en tienne compte, qu'il compte avec ce désir, qu'il ait peur que l'"élan vital" lui manque[1] », explique le psychanalyste Moustapha Safouan. Le désir nous maintient à tout moment dans le vivant au-delà de nous-même, presqu'*à l'insu du sujet*[2]. Les bouleversements que connaît le moi ont aussi une répercussion sur le désir. Dans un monde où l'image (*eidôlon*) a remplacé le discours (*logos*) et la faculté interprétative, le désir ne peut être que « malade », car privé de sa possible réalisation. Le désir est une tension entre l'objet et sa satisfaction, caractérisée par l'attente, ce qui implique une durée, une certaine temporalité et un déploiement de cette temporalité dans l'espace. Alors que ce que l'on constate actuellement, en même temps qu'une surenchère du désir liée à la société de consommation, c'est l'exigence d'une satisfaction immédiate. On peut facilement évoquer l'engouement et la précipitation à obtenir l'objet technologique dernier cri (la console de jeu, le smartphone, l'écran plat, etc.), mais il en va de même pour nos désirs affectifs qui ont du mal à résister à l'absence ou à la solitude. L'impatience, sœur du caprice dans cette course à l'*avoir*, nous conduit là aussi à chercher

1. Moustapha Safouan (sous la dir. de), *Lacaniana*, vol. 1, 1953-1963, Paris, Fayard, 2001, p. 118.

2. Gilles Deleuze utilise une très belle image : « Nous sommes des déserts, mais peuplés de tribus, de faunes et de flores. [...] et toutes ces peuplades, toutes ces foules, n'empêchent pas le désert, qui est notre ascèse même, au contraire elles l'habitent, elles passent par lui, sur lui. [...] Le désert, l'expérimentation sur soi-même, est notre seule identité, notre chance unique pour toutes les combinaisons qui nous habitent. », *Dialogues*, Paris, Flammarion, 2008, p. 18.

dans l'immédiat, la satisfaction. Mais la satisfaction est aussi la mort du désir. Et cette « mort du désir » par la satisfaction entraîne un nouveau désir : et cela inlassablement, à l'image d'un tonneau percé que l'on chercherait continuellement et vainement à remplir. Il devient difficile de se poser et de déterminer ce qui peut faire sens ou pas, dans la quantité de satisfactions possibles. Car désirer sans fin dans une multiplication toujours croissante des objets que l'on cherche à obtenir nous éloigne de ce qui peut nous rendre heureux. Mais aussi, à continuellement chercher à *avoir*, on en finirait presque par oublier d'*être*. En effet, où sommes-nous, perdus dans la surenchère exponentielle de nos désirs ?

Certes, le propre de la conscience est de désirer : le désir est au fondement du sujet, dans la mesure où il est ce qui permet de se projeter, de tendre vers l'avenir (problématique supplémentaire à une époque où l'on vit à l'heure de l'immédiat connectique). Il est donc un moteur essentiel dans toute dynamique existentielle humaine. Mais, entre des désirs compulsifs qui nous éloigneraient de nous-mêmes et des désirs nécessaires qui nous permettraient de nous réaliser, tout l'enjeu est de parvenir à trouver un équilibre. Or, aujourd'hui, cette recherche d'équilibre n'est plus une priorité. Ce qui compte, c'est bien de parvenir à satisfaction, et ce, de manière quasi immédiate, aussi vite que le temps qu'il nous faut pour valider un achat sur Internet. Le désir s'éteint au profit d'une recherche de jouissance immédiate.

Ce rapport au désir avec une perception du temps qui s'est considérablement rétrécie rend difficile l'expression de ce qu'il contient de plus exaltant et de plus délicieux : le rêve. Le rêve, entendu comme divagation ou comme digression sur l'objet désiré, permet d'exciter notre imagination et de développer en nous le sentiment d'une exaltation. On pourrait aller jusqu'à dire que le temps du désir où l'on se projette est source d'une jouissance intense. Cette tension excitante au possible du désir se trouve menée à son paroxysme dans *Cet obscur objet du désir,* titre du célèbre film surréaliste de Luis Buñuel sorti en 1977. Expression qui traduit bien l'accroissement du désir quand son objet semble insaisissable. Un des aspects les plus intéressants dans le film, c'est la manière dont Buñuel a marqué l'ambivalence du désir et la difficulté à en identifier réellemment l'objet, en confiant le rôle de l'héroïne Conchita à deux actrices différentes : Angela Molina et Carole Bouquet. Cette ambivalence ajoute au côté insaisissable et insatiable du désir. Mais, au fond, on peut aussi se demander si Mathieu Faber, qui désire jusqu'à la folie posséder Conchita – laquelle se dérobe sans cesse à ses avances, ne cessant d'accroître par là son désir –, veut réellement être satisfait ? Le jeu du désir est pure jouissance à lui seul et cesse sitôt qu'il est satisfait. C'est ce jeu du désir qui permet de rêver, de se projeter dans une vie souhaitée sous forme d'un idéal. En ce sens, « par le fait du désir et du temps, nous vivons loin de nous-mêmes... ce qui nous unit au temps nous désunit de nous : vivre est déchirant [1] ». Le désir est déchirure.

Or, quand le désir trouve sa satisfaction immédiate, la restriction du temps du rêve ne permet plus à l'imagination de se

---

1. Nicolas Grimaldi, *Le Désir et le Temps,* Paris, Puf, 1971, p. 8.

déployer. Ce n'est donc plus dans le désir que l'on rêve sa vie, mais dans le virtuel, dans un programme comme *Second Life*, par exemple, apparu en 2003 et qui propose, comme son nom l'indique, une deuxième vie dans un *métavers*, c'est-à-dire un univers virtuel. À chaque utilisateur de faire évoluer son avatar (personnage virtuel) dans un monde créé par les utilisateurs du jeu. Ainsi en est-il du vacillement du désir réel, appauvri par une machine à hyperconsommer à tout va.

Le retour du désir

Cependant, le vacillement du désir n'entraîne pas pour autant sa disparition. Et là encore, nous avons à faire une une véritable métamorphose.

Pour penser la modification de notre désir, nous devons le rapprocher du rapport à l'objet. Pour cela, il faut considérer le désir comme possibilité humaine à part entière : le désir, on ne le choisit pas, on ne le trouve pas, il s'impose à soi. Il est expression et présence de la vie ; pur mouvement et pure attraction qui nous renvoie sans cesse dans le vivant. Le désir est ce qui pourrait en même temps permettre au sujet de sortir de sa relation aliénante à l'objet, à condition de le penser, comme le souligne le psychanalyste Raphaël Ehrsam, comme « porté par une histoire et pourtant toujours surpris par son objet[1] ».

---

1. Raphaël Ehrsam, « À partir de Lacan : éléments d'une théorie réaliste du désir », in Guy-Félix Duportail (sous la dir. de), *Penser avec Lacan*, Paris, Hermann, 2015, p. 118.

Si le désir reste un moteur de vie, il nous faut donc questionner sous une forme différente notre rapport à l'objet, et plus précisément à l'objet-écran, en ne l'envisageant plus sous un angle aliénant, limitant, réduisant le sujet à une image et à un temps ou un espace donné par le virtuel, mais au contraire comme capable de lui offrir la capacité de se *transformer* et ce grâce à la création. Soit, accepter la frustration de la non-satisfaction et transformer la frustration en création. De fait, « quelque chose de différent doit alors s'introduire, par quoi l'originalité, l'irréductibilité, l'authenticité du désir du sujet est alors rétablie[1] ».

En ce sens, il est intéressant, désormais, d'envisager le sujet virtuel non pas comme une substance, comme un déjà-là, un être-là, mais plutôt comme une « virtualité créatrice », à la potentialité de s'inventer en permanence, tout comme il invente son désir en permanence. Une virtualité en devenir capable de création continuée : « L'avènement du sujet, explique le sociologue Vincent de Gaulejac, s'inscrit dans une double polarité entre le refus de l'assujettissement et le désir d'être. Le désassujetissement le conduit à recomposer ce qu'il est pour construire autre chose en se dégageant des attributs de son identité héritée et des visées auxquelles il a pu être assigné. Le sujet advient d'abord dans la négation de ce qu'il est. Il lui faut rompre avec une partie de ce que l'histoire a fait de lui. Mais il ne s'agit pas seulement de rupture, il advient à travers la construction d'une œuvre, la création d'autre chose, la reconfiguration de son

---

1. Jacques Lacan, *Séminaire V*, Paris, Seuil, 1998, p. 358.

histoire, le choix de son existence, le développement de sa réflexivité, la reconnaissance de son désir et son investissement pour "faire société"[1]. » Un nouveau monde s'ouvre donc à la conquête du sujet métamorphosé par le sujet virtuel, duquel émerge un désir renouvelé, porteur et fondateur de créativité. Un monde où faire œuvre, c'est aussi faire sens.

Ce n'est que dans ce retour du désir renouvelé – comme nous parlerions du « retour du refoulé » –, que le sujet virtuel, dans sa faculté créatrice, pourra s'épanouir et trouver un équilibre entre le moi réel et le moi virtuel, entre le *je* et son avatar.

L'hypersincérité du faux self

L'avènement d'une conjugaison entre le *je* réel et celui du virtuel vient poser avec intérêt la question de la *sincérité*. En creusant encore plus profondément la question de la relation entre le moi réel et celui que l'on donne à voir dans le virtuel, on ne peut s'empêcher de s'interroger sur la question de la véracité : qu'y a-t-il de vrai dans le moi virtuel ou encore l'avatar ? Cette question de la sincérité du sujet virtuel devient encore plus passionnante quand on la met en regard de la recherche toujours accrue d'authenticité et de transparence à laquelle nous invitent les réseaux sociaux.

---

1. Vincent de Gaulejac, *Qui est « Je » ?*, Paris, Seuil, 2009, pp. 125-126.

Le 25 novembre 2013, Jacques Attali, dans un article intitulé « La tyrannie de la transparence », s'inquiète de cette exigence de transparence. Il rappelle que l'exposition de notre vie sur les réseaux sociaux marque la disparition progressive de la sphère privée. Ainsi, précise-t-il, « transparence et sincérité iront de pair. L'une forçant à l'autre. La liberté individuelle ne sera plus celle de ne rien dire de soi, mais de tout dire des autres. On connaîtra tout des opinions et des amours de chacun et de tous. Peu de relations, peu de secrets, peu de confidences résisteront à cette dictature de la transparence ».

Or, la sincérité n'est pas l'exposition de soi, mais plutôt l'adéquation à soi[1]. Aussi, être parfaitement sincère avec les autres paraît bien difficile dans la mesure où ce qui constitue notre moi est insaisissable, toujours en devenir, difficile à réduire à une définition généraliste. Notre moi s'éprouve plus qu'il ne peut se dire. En ce sens, la sincérité n'est pas la véracité, ni la franchise, car elle ne cherche pas le vrai, mais simplement l'expression de soi. Elle est questionnement sur soi et tentative de réponse. Elle nous conduit sur le chemin de la connaissance de soi. Mais ce chemin est long : il dure toute une vie. Sans doute nous faudrait-il traverser toute l'existence pour tenter de définir avec la plus grande des sincérités ce qu'est notre moi. C'est pourquoi la surexposition du moi dans sa forme virtuelle confrontée à la recherche de transparence n'est pas pour autant gage de sincérité.

----

1. Voir à ce sujet Elsa Godart, *La Sincérité, ce que l'on est, ce que l'on dit*, Paris, Larousse, 2008.

Nous pouvons aussi nous demander : quelle sincérité pour notre moi virtuel ? Souvent la représentation de soi que l'on affiche sur le Net – avec le selfie comme emblème – est une construction, une mise en scène. Sans parler de l'« avatar » qui se confond parfois avec le moi idéal ou encore avec les nombreux programmes, dont Photoshop est le plus célèbre, qui proposent d'améliorer son image physique en retouchant la photo, le moi virtuel a toutes les caractéristiques du *faux self*. Notion qui est apparue sous la plume du psychanalyste britannique Donald Winnicott et qui désigne une sorte de façade, de représentation qui viendrait « protéger » le vrai self, en donnant à voir une image de soi réduite à un rôle ou à une représentation. Le faux self, sous des attitudes policées face aux autres, cache le moi authentique, souvent en réaction défensive à une situation donnée. En s'éloignant certes de la définition de Winnicott, on peut dire que le moi virtuel apparaît comme un faux self dans la mesure où il constitue un moi social, un moi des représentations. Aussi, la sincérité virtuelle, érigée sur ce faux self, apparaît comme une sincérité factice, et ce malgré l'exigence et l'illusion de transparence. Du selfie comme moyen d'exprimer son faux self ?

C'est un peu ce qui se passe quand certaines figures politiques tentent de convaincre de la véracité de leur discours et de leurs intentions, en bâtissant sur les réseaux sociaux une image « sincère » d'eux-mêmes, en « toute transparence ». Derrière cette hypersincérité affichée se cache un effet de communication qui n'a d'autre but que de convaincre et de policer l'image virtuelle du politique. La sincérité virtuelle serait donc comme le contraire de la sincérité réelle, en tant qu'elle se fonde sur un moi construit de toutes pièces (un moi virtuel, l'avatar) et qu'elle-même n'est plus un questionnement (qui suis-je ?) mais une affirmation (voici qui je suis). Ceci nous invite également à réfléchir sur notre rapport réel aux émotions.

L'emprise du pathos

Car une caractéristique du selfie est qu'il sert de véhicule au partage d'émotions. Si le discours rationnel (*logos*) s'éloigne, c'est aussi au profit de la montée en puissance de l'émotion (*pathos*). Non seulement le passage du *logos* à l'*eidôlon* a engendré une modification de notre rapport à la rationalité, mais en plus, il nous a plongés dans un monde où l'émotionnel mène la danse. Un émotionnel pulsionnel, presque compulsif, qui varie à une cadence infernale et toujours représenté par l'image : nous vibrons au rythme toujours plus frénétique des images qui défilent.

L'emblème de ce kaléidoscope, outre le nombre d'images anodines qui sont publiées, tels de véritables billets d'humeur (le choix de ma tenue vestimentaire du jour ; mon repas au restaurant ; le selfie sourire ou triste, etc.), ce sont les émoticônes ou encore les *emoji*, terme japonais qui associe la lettre à l'image. Le langage emoji est dense et ne cesse de se développer. On dénombre plus de 1 200 ¦ symboles capables de représenter la palette émotionnelle qui caractérise un

---

1. Chiffre en constante augmentation.

sujet. Un dictionnaire a même été attribué à cette néolangue, baptisé « Emojipedia ». L'association d'un nombre croissant des échanges sur le Net à un emoji rend le langage essentiellement affectif, véritable écho des mouvements internes liés à nos ressentis. « L'image paraît être un des vecteurs le plus à même de transmettre les émotions pour la génération du millénaire. Le destinataire d'un message visuel perçoit de suite la teneur des émotions que souhaite transmettre son expéditeur[1] », analyse Thu Trinh-Bouvier.

Que l'image soit le véhicule de l'émotion n'est pas nouveau. Mais là où, jadis, on traduisait l'image en mots (ce qui est le propre de la littérature et des nombreuses figures de style à commencer justement par l'« image » ou la « métaphore »), aujourd'hui, on se contente de placarder un *smiley*. Loin de permettre la diffusion d'une émotion typiquement personnelle, proprement humaine, les *emoji* réduisent notre champ émotionnel en le systématisant. Alors que le propre d'un écrivain – et plus encore d'un poète – était de transmettre une émotion par le biais esthétique de l'usage des mots et de la langue, ce qui donnait lieu à une création inédite, l'*emoji* discrédite toute poésie. Il n'est plus question de chercher au plus juste et au plus profond de soi : apposer une figure commune suffit. Ainsi, envoyer un *emoji*-cœur à sa mère ou à son fils pour lui dire merci a la même valeur que d'en envoyer un à son amoureux après une demande en mariage. Les émoticônes condamnent le sujet à une normalisation émotionnelle et annihilent toute forme de singularité.

---

1. Thu Trinh-Bouvier, *op. cit.*, p. 112.

Ajoutons que le passage d'un mode rationnel à un monde émotionnel nous replonge tout droit dans la caverne platonicienne où les images projetées sur les parois – les ombres – tenaient lieu de vérité. Sauf que la question n'est plus de distinguer le *sensible* de l'*intelligible* ; mais plutôt l'*émotionnel* du *rationnel*. L'image éphémère touche par son immédiateté, par son impulsivité : elle s'adresse directement aux émotions. C'est par exemple sur la palette de nos émotions que jouent les émissions de télé-réalité : leur succès tient à la fois à l'identification aux acteurs et à l'empathie qu'ils suscitent. On adhère facilement à leurs émotions. On peut d'ailleurs trouver dans l'actualité des manifestations encore plus emblématiques de l'emprise du pathos dans notre société contemporaine : le cas des attentats de janvier et de novembre 2015 et l'image du petit Aylan, 3 ans, réfugié syrien, retrouvé mort sur une plage, image publiée sur le Net le 2 septembre 2015. Sans rentrer dans l'analyse de ces événements et la manière dont ils ont été traités par les médias, on peut relever l'utilisation d'images chocs qui ont suscité auprès du public une profonde vague d'empathie.

Le pouvoir de l'image comme vecteur d'émotion n'est certes pas nouveau. En revanche, ce qui l'est, c'est qu'à présent, nous sommes inondés d'images, et donc en permanence soumis à des émotions différentes, changeantes et fluctuantes. Notre moi devient un réceptacle émotionnel qui nous déborde et qui finit par se trouver submergé au rythme des images qui défilent. Cette perméabilité accroît le sentiment anxiogène qui caractérise notre société hypermoderne. Elle nous donne également l'impression de ne plus être maître de nous-mêmes : contraint à passer du rire aux larmes, des larmes aux rires, notre moi nous échappe en permanence.

Le soi digital

Pour résumer, le moi, la conscience de soi, la définition du sujet ont connu de grands bouleversements avec l'affirmation de l'inconscient. Le moi s'est trouvé enrichi, augmenté d'une part inconsciente. Faut-il y ajouter maintenant une nouvelle dimension, sa part virtuelle ? Désormais, il semble en effet difficile de chercher à définir le moi sans sa présence virtuelle.

On peut dire que les progrès techno-scientifiques ont modifié notre rapport au moi. Alors que, dans une longue tradition philosophique, il a toujours semblé se dérober, échapper à la saisie intellectuelle, voilà qu'à présent nous pouvons le « toucher du doigt » – au sens littéral : le moi virtuel est un moi *digital*. La virtualité est désormais *tactile* et le moi se touche comme il se compte. Car ce qu'on appelle le numérique, c'est avant tout un langage composé de chiffres et de codes – lorsqu'on parle d'appareils « numériques », on entend par là des machines capables de traduire des informations numériques, qu'elles produisent ou qu'elles traitent. Et derrière le néologisme de « digital » se cache précisément la numérisation des supports d'information[1].

---

1. « Le numérique, c'est le bouquet puisqu'on n'a même plus affaire à des signifiants, mais à des nombres », remarque Charles Melman, *op. cit.*, p. 117.

Ce qui est digital, c'est littéralement « ce qui se rapporte aux doigts ». Le terme est dérivé du latin *digitus* : renvoyant à la façon de compter sur les doigts, il a donné en anglais *digit*, « chiffre », et *digital*, « qui utilise des nombres ». Il nous est donc revenu des États-Unis avec un deuxième sens, « numérique » – qui se dit en anglais *numerical*. Toutefois, remarque Philippe Gérard, consultant en communication, « le digital recouvre une réalité plus large qu'un nouvel anglicisme – qui traduit, toutefois, le caractère planétaire du numérique. L'usage du terme digital semble aujourd'hui s'imposer… comme jadis le Web face à la Toile[1]. » Ainsi, le digital, plus encore que le numérique, traduit cette réalité immatérielle que constitue le Web et dans lequel le moi virtuel prend vie.

Le selfie se présente comme l'expression la plus emblématique du « soi digital » – terme que nous créons pour désigner cette combinaison nouvelle de moi réel et de moi virtuel par l'intermédiaire de l'objet-écran. Se prendre en photo, c'est jouer avec son image, c'est donner à voir ce qu'on aurait envie de donner à dire. C'est toucher son moi (intérieur) du doigt, au sens littéral lorsqu'il est possible de retoucher les photos, du bout du doigt, avec un logiciel tel qu'Instagram : on tente alors de jouer avec son image comme si on en maîtrisait tous les effets.

Ajoutons cependant que le soi digital s'appréhende sous une forme qui apparaît comme régressive : on accède à soi

---

1. Philippe Gérard, « Qu'est-ce que la communication digitale ? », Cegos, 3 février 2014.

par le toucher et non plus par la pensée, l'identification ou la projection. On joue à *soi*, comme un enfant qui vient de naître apprendrait et découvrirait le monde par le « toucher ». Un côté ludique et infantile qui donne le sentiment de la naissance d'une nouvelle forme de sujet et donnent une résonance particulière aux mots de René Char : « Sommes-nous voués à n'être que des débuts de vérité ? »

4

Une révolution sociale et culturelle

L'identité figée

Entraînant une modification dans le rapport à soi, les métamorphoses du moi engendrent nécessairement une modification dans le rapport à l'autre, et par conséquent une modification de la société. Une révolution sociale et culturelle dont il est impossible d'examiner ici tous les aspects, mais seulement une partie de ceux qui concernent les relations intersubjectives ou la question du sens de la vie en rapport avec la reconnaissance et la célébrité.

Une identité qui ne parvient pas à maturité

L'apparition du selfie exprime une mutation singulière que connaît notre société depuis quelques décennies : nous pourrions dire que l'arrivée du virtuel a plongé la société dans un état transitoire, comme une sorte de mutation, qui serait comparable à une crise d'adolescence sociétale.

Ce qu'on appelle l'« adolescence » ne constitue pas un stade particulier du développement du sujet. C'est un concept parfois controversé qui n'est apparu que tardivement, dans la mesure où, pendant longtemps, l'espérance de vie étant relativement brève, il y avait peu de temps intermédiaire entre l'enfance et l'âge adulte (on songe par exemple à Roméo et Juliette qui sont de jeunes adolescents à l'heure où leurs amours sont déjà presque adultes).

Aujourd'hui cependant, cette période intermédiaire entre l'âge enfant et l'âge adulte est davantage étudiée et le malaise, voire la souffrance, qu'elle engendre largement admis. À la métamorphose du corps, qui s'accompagne de questionnements autour de la sexualité, de la filiation, de la mort…, s'ajoute une « crise identitaire » : confronté à un profond questionnement sur soi, l'enfant remet en cause l'enseignement transmis par ses aînés. C'est en se construisant « contre » son environnement, et en s'appuyant sur des identifications successives, qu'il va pouvoir affirmer ce qu'il est. La période est particulièrement inconfortable : un moment d'instabilité, d'incertitudes, de recherche.

Or on peut trouver de nombreux points communs entre l'évolution sociétale que nous connaissons et la crise adolescente.

Tout d'abord, l'adolescence est une période transitoire qui (normalement) n'est pas amenée à durer. Elle se caractérise par une métamorphose, qui conduit le sujet vers la pleine révélation de lui-même. Or, nous l'avons vu, confrontés au changement de paradigmes que provoque la révolution numérique, nous vivons sur le plan social une période transitoire de mutation – et même de véritable métamorphose.

Cela a bien évidemment pour conséquences l'apparition d'incertitudes, de troubles, de nombreux questionnements qui procurent un puissant sentiment d'inconfort. Ce sont bien là les caractéristiques d'un état de « crise » – une « crise identitaire ».

Enfin, ce qui est le plus important, c'est l'interrogation identitaire qui se fait jour dans notre société, comme chez l'adolescent, et qui se manifeste particulièrement dans le selfie.

En effet, qu'est-ce que se prendre soi-même en photo, si ce n'est, à travers cet acte, reformuler l'interrogation que posait déjà Montaigne en son temps : *qui suis-je ?* Le fait même de se photographier soi-même, c'est-à-dire de transformer le téléphone en miroir et de « capturer » l'image qui en ressort, met en acte ce questionnement. Sous des allures banales, ce geste nouveau témoigne du désir de percer les mystères d'un moi devenu insondable, insaisissable, parce que en pleine mutation. Un moi qui ne cesse de se transformer en même temps qu'on tente de le saisir. À cet instant où on le fige sur l'écran, on a la sensation d'avoir enfin rattrapé une image qui par essence demeure évanescente. Et, en répétant maintes et maintes fois ce geste, on approfondit le questionnement. Mais c'est parce que le moi est multiple qu'il nécessite une multitude de prises de vue. Bien qu'on l'éprouve comme étant unifié, le moi se présente à nous telle une mosaïque aux multiples couleurs. Cette « peinture de soi », qui s'impose au final comme la quête de chaque homme, demeure abstraite, malgré nos efforts constants pour en tracer les contours, au rythme des nombreux clics actant que la photo est prise.

Je selfie donc je suis

La photo aujourd'hui est un véritable portrait « vivant »
(notamment avec les GIF qui mettent les images en mouvement) qui ne se laisse saisir que par le seul regard extérieur ou sensible, quand bien même ce regard est celui qui
se contemple. En effet, l'intérêt de se prendre en photo
est d'apposer soi-même un regard sensible et extérieur sur
l'image de soi, qui ne s'appréhende toujours que de l'intérieur : quand on se regarde dans un miroir, l'image extérieure que l'on perçoit est toujours appréhendée sur le
mode de l'intériorité. En photographiant cette image, on
fige la sensation intérieure, et on l'extériorise. Ce qui en
fait démultiplie à l'infini – voire à l'indéfini – le *qui suis-je ?*
Cette expérience de l'inconsistance et de la multiplicité du
moi, Montaigne l'avait déjà faite en son temps en écho à
l'expérience de l'impossible constitution unifiée du moi.
Ce « ton gauche de mixtion humaine », ce « ton obscur et
sensible seulement à soi » dont il parle, voilà qu'elles sont
les limites de la connaissance de soi. Jusqu'à arriver à cette
terrible conclusion : « L'homme, en tout et partout, n'est
que rapiècement et bigarrure. »
    Si bien que le selfie, archétype de notre société contem-
poraine, se fait nouvel oracle et relance en fronton de nos
consciences humaines cet ancien adage : *Gnôthi seauton*,
« Connais-toi toi-même ! ». Cette recherche d'une connaissance de soi s'entend comme la relance d'un questionnement éthique après les changements paradigmatiques que
nous rencontrons. Si bien que nous pouvons dire que notre
société traverse une véritable crise identitaire propre à un
état de métamorphose, qui questionne les fondements du

sujet au vu des évolutions techno-scientifiques, et que plus que jamais la question de l'énigme que constitue le moi est soulevée. Par le selfie, la société prend conscience du questionnement identitaire qui est le sien, souci d'elle-même qu'elle porte en constance et qu'elle ne cesse de renouveler.

De l'objet-écran entre le je *et le* tu *:*
l'éthique renversée du visage

L'aplatissement et la fusion du temps et de l'espace dans l'immédiat connectique influent notre manière de « rencontrer » l'autre. En effet, jusqu'à présent, l'autre nous est donné sous la forme d'une « image » qui se présente à nous. Une image « en chair et en os », dans une mise en présence de deux personnes, de deux subjectivités : l'autre m'apparaît tel que je le vois là devant moi. Levinas a très bien analysé tout ce qui se joue dans la rencontre, ce moment du face-à-face : « La manière dont se présente l'Autre, dépassant l'idée de l'Autre en moi […], nous l'appelons, en effet, visage. Cette façon ne consiste pas à figurer comme thème sous mon regard, à s'étaler comme un ensemble de qualités formant une image. Le visage d'Autrui détruit à tout moment, et déborde l'image plastique qu'il me laisse […]. Il s'exprime[1]. » La « rencontre » avec l'autre passe par le « visage » qui incarne à lui seul toute l'humanité qui se joue dans le lien si subtil de l'instant de la rencontre. Au-delà du

---

1. Emmanuel Levinas, *Éthique et infini* [1961], Paris, Le Livre de poche, 1990, p. 43.

sensible et des apparences, au-delà du visible et du voyant, le visage traduit tout l'« incontenable » de l'autre. C'est-à-dire que l'autre ne peut se réduire à la seule pensée que j'ai de lui. Mais, même me faisant face, il reste insaisissable dans sa présence, dans sa posture, à la fois proche (nous participons tous les deux à la même humanité) et en même temps distant (nous sommes irrémédiablement différents). C'est aussi par cette rencontre avec le visage de l'autre que se fait l'entrée dans l'éthique, car le visage renvoie à l'interdit majeur du « Tu ne tueras point », ajoute Levinas : la présence de l'autre que je saisis dans ma chair impose l'interdit du meurtre – première loi nécessaire à l'établissement de toute société.

Mais Skype pourrait faire mentir le philosophe. Lorsque « la rencontre » se fait par écrans interposés, que reste-t-il de cette expérience de singularité qui nous permet de passer du particulier à l'universel ? La rencontre de l'humain en l'homme est-elle encore possible ? N'est visible sur l'écran qu'un visage inversé qui ni ne s'éprouve ni ne se ressent ; ni ne se possède ni ne se désire. L'autre, prisonnier de l'écran, est enfermé dans une objectivation figeante. « Ce regard qui supplie et exige – qui ne peut supplier que parce qu'il exige – privé de tout parce qu'ayant droit à tout et qu'on reconnaît en donnant [...] – ce regard est précisément l'épi-phanie du visage comme visage. La nudité du visage est dénuement[1]. » Que saisir derrière un écran de ce regard qui supplie ? De ces yeux qui invitent à l'humanité la plus grande et à la responsabilité la plus immanente ? L'objet-

---

1. *Ibid.*, p. 73.

écran devient *objet transitionnel* entre le *je* et le *tu*. Il dresse un mur d'invisibilité et de froideur incontournable, il « chosifie » l'autre au point de le réduire à « un objet dans l'objet ». Celui-ci n'est plus qu'une image dans une image, une *figure* (au sens étymologique de *forme*).

Le mur infranchissable que dresse l'écran entre *je* et *tu* brise alors tout élan spontané d'humanité ; il donne naissance à une nouvelle forme d'intersubjectivité, une intersubjectivité virtuelle. Aucun interdit ne s'installe, bien au contraire : il invite au meurtre. L'autre, prisonnier de l'écran, chosifié, devient l'égal des autres choses qui peuplent mon monde et sur lesquelles j'ai un pouvoir absolu. Qui n'a jamais eu envie d'éteindre l'écran de son ordinateur ou de son smartphone, lorsqu'une conversation tourne mal, geste de mort digitale de l'autre virtuel ? Si bien que l'« éthique du visage » s'est renversée : le visage virtuel incite à la destruction pure et simple de l'autre. La rencontre qui se fait par écran interposé n'est plus ouverture sur l'éthique, mais fermeture de l'éthique.

Enfin, rappelons que notre rapport au visage de l'autre se fait sur le mode de l'imaginaire. Quand nous pensons à autrui, nous le faisons sur celui du rêve : je pense à l'autre et son image apparaît. Je sais que je vais le rencontrer bientôt… Ainsi, dans la distance qui jusqu'alors se faisait absence, l'autre était désiré : désiré dans sa chair, désiré dans le manque, désiré dans sa présence… Son visage, je l'imaginais, j'espérais le tenir entre mes mains, le caresser, en sentir l'odeur, le frémissement, le goût. Je rêvais de plonger mes yeux dans les siens et d'y rencontrer la profondeur de son âme… À présent, le temps d'une connexion Skype ou d'un appel FaceTime et l'autre n'est plus fruit du désir, ni du fantasme : c'est un objet accessible, toujours à ma disposition. Son image est présentée, affichée, impossible à rêver, impermanente : « À l'écran, l'individu se réécrit sans archives : tout nouveau récit biographique annule les précédents, et les portraits subissent la loi propre au texte informatique, celle d'avoir une "existence fugace", puisque "la mémoire de la page-écran peut être actualisée en permanence"[1]. » Si bien matérialisé par le virtuel et immédiatement donné, il perd une part de son humanité dans l'*impossible du désir*.

En outre, lorsqu'autrui m'apparaît par l'intermédiaire d'un écran, c'est en réseaux et en connexion. Et ce n'est pas nécessairement parce que nous sommes de plus en plus connectés que nous faisons pour autant plus de « rencontres » au sens humain du terme. N'oublions pas : sur le Net, d'autrui, je n'ai accès qu'à son *avatar*.

Ce qui nous amène à réfléchir sur une conséquence de ces modifications de la rencontre : la question de la reconnaissance.

Crise de la reconnaissance : « être, c'est être vu »

Que ce soit dans le hurlement des enfants turbulents ou celui de leurs parents, toujours adressé à leurs aînés, on reconnaît l'expression du manque profond de reconnaissance dont nous souffrons. Où qu'elle soit, au travail, au

---

1. Adeline Wrona, *Face au portrait*, Hermann, Paris, 2012, pp. 378-379.

sein de la famille, entre amis ou simplement chez le boucher ou chez le boulanger…, notre génération avance avec le sentiment de devoir être reconnue en permanence.

La reconnaissance définit à la fois l'affirmation de mon existence dans l'existence d'autrui – par le retour qu'il m'en fait (il ne suffit pas que deux existences soient en présence pour se sentir reconnu et conforté dans le sentiment de sa propre existence : il faut encore qu'il y ait « échange » pour qu'il y ait reconnaissance) –, et la *gratitude*. Enfin, en un troisième sens, elle peut aussi se comprendre comme le fait d'être *responsable* – se reconnaître comme l'auteur de ses actes. Paul Ricœur la résume à trois moments : « reconnaissance d'un objet (objectivité), reconnaissance de soi-même (subjectivité) et enfin reconnaissance mutuelle (intersubjectivité). »

Mais la reconnaissance implique toujours la *réciprocité de l'échange* : un lien omniprésent entre le *je* et le *tu*. Or, le virtuel se révèle souvent échange sans communication, image sans langage. De l'éphémère à la surconsommation (des biens, des objets, des gens), de la précipitation sans concession à l'agir sans fondement, de l'illusion du tout-est-possible et de la toute-puissance à l'ébranlement du libre arbitre, nous avançons dans l'existence sans plus aucune certitude, avec le besoin constant de nous sentir assuré dans le fait même d'*exister*, avec la nécessité omniprésente de sortir du doute qu'implique la facticité. Derrière nos selfies tout sourire, nous arborons aussi des masques de tragédiens.

Si bien qu'à force de chercher à combler notre besoin constant de reconnaissance, nos relations avec les autres

sont biaisées. Nous sommes en demande permanente :
« Ô selfie magique, dis-moi que je suis la plus belle… Mes
mille amis Facebook, assurez-moi ce matin que mon existence est bien réelle par vos *like* à répétition. » À cause de ce
besoin de reconnaissance, nous avons perdu une liberté :
celle qui consiste à être librement nous-mêmes sans chercher à plaire par peur de décevoir ou d'être rejetés ; d'être
disliked, comme nous serions disqualifiés dans ce théâtre
des représentations.

On en revient à interpréter étrangement le *percipi* de
Berkeley : « *Esse est percipi aut percipere* », « être, c'est être
perçu ou percevoir ». Pour l'empiriste anglais, les objets et
les idées n'existent pas en dehors d'un esprit capable de les
percevoir : l'*esse* de l'objet consiste dans son *percipi*. Quand
je dis qu'un objet existe, en réalité c'est seulement que je
perçois de lui des impressions, des sensations. Il n'existe
qu'en tant que je peux le sentir, le voir, et qu'il peut aussi
être vu et senti par un autre esprit.

Aujourd'hui, le *percipi* prend un tout autre sens avec
le selfie. Désormais, la reconnaissance passe par l'image
et le regard virtuel de l'autre. La reconnaissance subjective
et intersubjective – en tant que reconnaissance de soi par
l'autre et de reconnaissance de l'autre par la réciprocité de
l'échange – est assurée par l'intermédiaire de la photo de soi
offerte au regard et au jugement d'autrui sur les réseaux
sociaux. Ce n'est plus le dialogue comme condition de réciprocité qui assure la reconnaissance, mais le nombre de *like*
récoltés au moindre post : « Être, c'est être liké » !

L'identité figée

Crise de la célébrité : du selfie à la télé-réalité

Voir, regarder, exister à tout prix, être reconnu... sont devenus des diktats. Un besoin de reconnaissance qui implique aussi une redéfinition du sens que nous donnons à notre vie. Le *sens* peut s'entendre de deux manières différentes : l'orientation et la signification. Dans quelle direction vais-je aller ? Quelle signification vais-je donner à mes choix, à mes décisions, à mes actes ? Le sens de la vie – le célèbre film de Terry Jones, *Monty Python's The Meaning of Life*, ne le démentira pas – est ce qui nous fait avancer, ce qui justifie nos actions. Mais comme, nous l'avons vu, nous n'avançons plus avec la même assurance et que notre horizon et temps de notre réflexion se sont réduits, alors nous prenons d'autres chemins...

Parmi eux se trouve celui de la célébrité. Un détour rapide sur Wikipedia – référence du Web qui nous situe d'emblée dans le contexte –, nous rappelle qu'une célébrité, c'est un « personnage public ou *people*, une personne largement reconnue ou célèbre qui attire sur elle l'attention du public et des médias. Le mot vient de l'adjectif latin *celeber* qui signifie "nombreux", "fameux", "illustre" ou "qui est célébré"[1]. » Mais, bien que longtemps – depuis l'Antiquité – associée aux honneurs et aux mérites, la célébrité n'a aujourd'hui plus rien avoir avec ces qualités. Elle se situe désormais au cœur de l'éphémère : « Nombre de célébrités le sont uniquement

---

1. https://fr.wikipedia.org/wiki/Célébrité.

pour une certaine période, précise le site, parfois après être apparues dans une émission télévision ou avoir accompli une action exceptionnelle pour attirer l'attention du public. » Il serait d'ailleurs pertinent de davantage distinguer renommée et « starisation ». Dans ce monde où tout change en permanence, le « *fifty minutes of fame* » dont parlait Andy Warhol est devenu l'apogée du sens à donner à une existence.

Le selfie offre précisément cette célébrité illusoire. Non seulement il permet de s'afficher aux yeux du monde (Instagram se révèle ici très utile), mais en plus, les réseaux sociaux, grâce à la fonction « partage », offrent la possibilité de relayer l'image à l'infini, apportant à chacun, en même temps que son quart d'heure de gloire, la reconnaissance tant espérée. Sur YouTube, des anonymes deviennent ainsi des références simplement par le nombre de visionnages que leur vidéo a suscités. Certains en ont même été amenés à changer de vie : « Le petit Charlie est devenu une vraie source de revenus pour sa famille. En 2007, il mordait le doigt de son grand frère. Cette vidéo a fait le "buzz" sur la Toile avec plus de 400 millions de vues depuis sa publication sur YouTube. Le célèbre site a alors conclu un contrat avec la famille et celle-ci a gagné beaucoup d'argent grâce au succès de sa vidéo. N'importe quel internaute peut donc devenir éditeur et empocher de l'argent grâce au succès de sa création postée sur cette plateforme », note le journaliste Maxime Lambert le 15 mars 2012[1] tout en expliquant com-

---

1. Sur www.gentside.com › Actualités › YouTube › News.

ment il est possible de gagner sa vie grâce à YouTube. Car c'est à cela désormais que tout tient : *faire le buzz*.

Faire le buzz, c'est faire en sorte que tous les projecteurs médiatiques se braquent un instant sur soi – et peu importe que cet instant soit éphémère : inutile de citer toutes ces « célébrités » qui se sont cassé les dents à espérer « durer », « exister » encore après le moment du buzz. Faire le buzz, c'est le sentiment exalté d'une forme de reconnaissance ultime de notre existence. Faire le buzz, c'est être au maximum de notre *exister* dans l'ère du virtuel.

Le selfie n'est sur ce plan qu'un « avatar » d'un concept plus large, celui de la téléréalité, qui offre un relais médiatique bien plus puissant que les réseaux sociaux. « "Je vais être interviewée par une chaîne américaine, je suis au bout de ma vie !" s'exclame Nabilla Benattia dans le premier épisode de la série "Allô Nabilla" », rapporte en novembre 2013 dans le journal *Le Monde* le journaliste Joël Morio qui commente avec pertinence : « La réplique en dit long »… Et d'ajouter un peu plus loin : « La télé-réalité, tel un miroir aux alouettes, continue d'attirer des jeunes qui rêvent de "faire carrière". Alors qu'au milieu des années 2000, les chaînes faisaient appel aux vieilles gloires de la télévision et du show-biz pour faire grimper l'Audimat, depuis près de trois ans, les éphémères vedettes de "Secret Story", la "Star Ac" ou "Koh-Lanta" deviennent les protagonistes de nouveaux programmes. ». La réalisation de soi ultime passerait donc par la participation à une télé-réalité : autre manifestation du « être, c'est être perçu »…

Nous ne sommes décidément pas sortis de la société du spectacle que dénonçait déjà en 1967 Guy Debord – et même il semblerait que nous nous y enfonçons ! Ce dernier expliquait, à propos du spectateur, que « plus il contemple, moins il vit ; plus il accepte de se reconnaître dans les images dominantes du besoin, moins il comprend sa propre existence et son propre désir[1] ». L'acteur, comme le spectateur, de la télé-réalité sont pris au piège d'une image figée dans laquelle tout n'est plus que spectacle ou encore *simulacre*. Ainsi devient-il impossible de distinguer le vrai du faux, au point que notre monde s'en trouve bouleversé ; au point, comme le note Debord que « dans le monde renversé, le vrai est un moment du faux ». Encore convient-il de remarquer que, depuis Debord, nous avons fait du chemin. Désormais, notre société est certes encore celle du spectacle, mais d'un spectacle sans récit, sans scénario. On ne prend même plus la peine d'écrire une histoire, on se contente de filmer des gens en train de vivre. Avec cette autre particularité que ces « acteurs sans scénario » ont conscience qu'ils sont filmés : ils sont donc dans l'improvisation permanente de leur existence, et en même temps l'œil de la caméra leur rend impossible d'être naturels, vrais, sincères. L'hypermodernité engendre aussi ce que le sociologue Jean Baudrillard appelle l'« hyperréalité[2] », un monde où il n'y aurait plus de différences entre l'être et l'apparaître, où le simulacre n'a plus pour rôle de singer la réalité, mais où il la remplace bel et bien. La simulation annonce la mort du réel, et n'est plus

---

1. Guy Debord, *La Société du spectacle* [1967], Paris, Folio, 1992.
2. Dans son livre *Simulacres et simulation*, Paris, Éditions Galilée, 1981.

que dissimulation – si bien qu'il serait plus juste de parler de télé-hyperréalité que de télé-réalité.

Dans ce tunnel d'illusions et de vraisemblance, où les repères n'ont plus cours, on peut s'interroger : jusqu'où ira-t-on pour s'assurer de son existence dans la reconnaissance éphémère et médiatique ? Nous l'ignorons encore. Mais alors, comment ne pas évoquer cette pensée de Pascal : « Tout le malheur des hommes vient d'une seule chose, qui est de ne savoir pas demeurer en repos dans une chambre », qui plus est : sans caméra !

Quand les « élites » imitent la masse

D'Obama à la reine d'Angleterre, du pape aux rois du show-biz, les élites se prennent au jeu du selfie. « Les peoples, les sportifs, les politiques : tous selfie », note Pauline Escande-Gauquié dans le livre qu'elle consacre au sujet[1]. Ajoutant cependant un peu plus loin : « Qu'elles soient classiques, excentriques, engagées ou exhibitionnistes, les photographies que partagent les célébrités dévoilent leurs humeurs et leur quotidien dans un but précis. Toutes ne les utilisent pas de la même manière... » Certains, il est vrai, s'en servent pour dévoiler leur intimité sous forme quasi exhibitionniste ou pour faire valoir leur côté « trash » (à l'instar de Rihanna), ou au contraire pour témoigner de leur engagement dans une cause collective (comme lorsque Angélina Jolie poste un selfie où on la voit entourée

---

1. Pauline Escande-Gauquié, *Tous selfie !*, *op. cit.*, pp. 64-65.

d'enfants, lors de ses missions humanitaires pour l'ONU). Mais, dans tous les cas, le selfie, c'est une croissance assurée de sa cote de popularité dans la mesure où il rapproche la « star » de son public – qui peut se dire : « Elle est comme moi, elle fait des selfies » –, et pour pas cher. « Le selfie est devenu l'outil communicationnel le plus efficace et gratuit[1] », remarque Pauline Escande-Gauquié. Et cela n'a pas échappé aux personnes les plus influentes de notre monde : si Lady Gaga est passée maître dans l'art de créer le buzz sur le Net, des politiques aux représentants religieux, en passant par François Hollande, tous le pratiquent ou acceptent d'y participer. Un cliché mémorable est celui qui réunit Barack Obama, David Cameron et Helle Thorning-Schmidt, Première ministre danoise, pris en flagrant délit de selfie par un journaliste alors qu'ils assistent dans les tribunes aux obsèques de Nelson Mandela.

Ce que cela révèle, c'est qu'on assiste à un véritable renversement des modèles. Désormais ce n'est plus l'élite qui est la référence, l'exemple à suivre. Ce n'est plus le citoyen lambda, le « fan » qui veut ressembler à la star. C'est l'inverse : les stars imitent les anonymes, en se mettant à selfiser.

Le selfie marque ainsi une véritable *révolution populaire* : le jeune geek donne la tendance, le pape François, Lady Gaga et Barack Obama ne font que suivre un mouvement populaire. Le selfie est l'emblème de la démocratisation du modèle. Mais cet engouement des peoples pour le selfie,

---

1. *Ibid.*

110

qui a beaucoup aussi avoir avec l'autopromotion, ouvre la voie à une nouvelle science : le *self-marketing*.

Le self-marketing

L'importance du selfie n'a bien sûr pas échappé à l'attention des publicitaires qui depuis un certain temps proposent de multiples jeux invitant le public à se mettre en scène, voire avec humour ou dérision, avec leur smartphone. Très lucratif, le selfie génère ainsi son propre business, plus que rentable.

Sous des aspects ludiques et conviviaux, très facilement diffusable à l'infini, le selfie en est devenu l'« objet com » incontournable de ce XXIᵉ siècle. Dans un article du *Monde*, la journaliste Sarah Boulouezzane explique comment il « permet, avec la complicité de célébrités, de provoquer un buzz interplanétaire en quelques secondes et d'associer à la marque une image positive et cool. Samsung est d'ailleurs devenu un véritable spécialiste des campagnes de pubs selfie, réussissant à monter un autoportrait associant Barack Obama et David Ortiz, joueur de base-ball star des Red Sox de Boston, et signataire d'un contrat publicitaire avec la marque coréenne ». Bien d'autres entreprises, des institutions et même des personnalités publiques surfent sur cette promotion simple et populaire, à diffusion rapide et exponentielle. Certaines stars se font grassement rémunérer pour publier sur la Toile un selfie où elles arborent le produit d'une marque particulière. C'est ce qu'on appelle le *celebrity marketing*.

Je selfie donc je suis

Si une telle pratique entre dans le jeu contemporain de la consommation, en revanche, les dérives, d'un mauvais goût qui va jusqu'à l'indécence, ne sont jamais loin. Ainsi, que penser de cette proposition de l'Élysée, le 27 novembre 2015 : « Attentats de Paris. Participons tous à l'hommage national. 1. Mettez un drapeau bleu blanc rouge à votre fenêtre. 2. *Faites un selfie* (ou une photo) en bleu blanc rouge. 3. *Publiez-le sur les réseaux sociaux* avec le hashtag #fiersdelafrance et mettez-le en photo de profil Vendredi 27 novembre à 8 h 00 » ? Le selfie devient ici une arme de propagande frôlant la récupération marketing. Rappelons que ce qui caractérise toute démarche selfique, c'est avant tout la spontanéité…

5

Une révolution érotique

Éros en acte

De manière tout à fait spontanée, faire un selfie, c'est jouer avec l'image de soi, la poster pour qu'une bande de copains s'en amuse ou s'en délecte ; ou encore, lors d'un moment entre amis ou en famille, marquer l'instant, comme on marquerait le coup, avec un photo autoproduite, puis la poster pour « partager » un moment heureux... Le selfie est avant tout un mode d'expression juvénile, très prisé par les adolescents, caractéristique de ce qu'on appelle la génération Z, celle qui est née après 1995 et qui, dans sa majorité, n'a pas connu le XXe siècle. Elle a grandi au cœur des développements des technologies de l'information et de la communication, à l'heure du World Wide Web. Cette « cybergénération » est celle du média en ligne et du virtuel.

Faire un selfie, pour la génération Z, est simple et spontané. Presque naturel. Il est l'expression de la vie dans ce qu'elle peut avoir de plus frivole, de plus amusant, de plus insouciant : l'expression de la pulsion de vie, *Éros*. Sous la forme du jeu, de messages plus ou moins explicites, parfois à caractère érotique – jusqu'à la « jouissance selfique » –, le selfie est aussi la manifestation d'une société qui cherche, par un acte simple et ludique, à se reconnecter avec des valeurs de plaisir et de partage.

Un jeu interactif

Le selfie, c'est quand même d'abord un « jeu » où le ludique et le jovial s'inviteraient à la table d'une bande de potes : lors d'une soirée entre copains, on fait des grimaces ou on prend des poses amusantes. Le selfie est alors une expression de joie, un véhicule de l'amitié, expression de l'autodérision. Souvent les jeunes communiquent par selfies pour ne pas « se perdre de vue ». Ainsi, le selfie fédère, rassemble autour d'un moment d'insouciance. À ce titre, André Gunthert remarque qu'il est maladroit d'associer le selfie à Narcisse, dans la mesure où Narcisse n'a d'yeux que pour lui, alors que « l'image autoproduite » est davantage un phénomène social : « La pratique photo dite "amateur" est proportionnelle à l'activité sociale, familiale ou amicale, et participe activement à renforcer les liens entre membres d'un réseau. Comme l'ont bien noté Joëlle Menrath et Raphaël Lellouche[1], le selfie s'exécute souvent à plusieurs. Narcisse aurait-il admis quelqu'un d'autre que lui dans

---

1. André Gunthert fait ici allusion à l'article « Le selfie, portrait de soi narcissique ou nouvel outil de construction identitaire ? », *Observatoire de la vie numérique des adolescents (12-17 ans)*, novembre 2013.

l'image ? La définition de l'autoportrait repose sur la coïncidence de l'auteur et du sujet du portrait. »

Les selfies peuvent donc plutôt se concevoir comme l'expression d'un « Éros en acte », la pulsion de vie que Freud distingue, dans *Au-delà du principe de plaisir*, de Thanatos, la pulsion de mort. C'est dans le maintien de ces deux pulsions que se joue l'équilibre psychique du sujet. Thanatos s'allie au principe de plaisir pour trouver l'état idéal de satisfaction, soit l'état d'inexcitabilité – la mort. Mais à cette pulsion mortifère s'oppose Éros, qui, depuis *Le Banquet* de Platon, est également assimilé au désir ou encore à l'amour. Éros peut aussi se faire l'écho de l'« élan vital » de Bergson ou encore du « vouloir-vivre » de Schopenhauer : c'est une force en nous, une puissance, à la frontière de l'organique et du psychique, qui nous pousserait toujours du côté du vivant.

Ainsi, toutes les pulsions qui nous poussent à créer, reproduire sont du côté d'Éros. Et on peut dire que le selfie, quand il est expression d'un *jeu* au-delà du *je*, met Éros en acte, si on considère la définition du jeu donnée par l'historien Johan Huizinga et que rappelle le philosophe Colas Duflo[1] : « Le jeu est une action ou une activité volontaire, accomplie dans certaines limites fixes de temps et de lieu, suivant une règle librement consentie mais complètement impérieuse, pourvue d'une fin en soi, accompagnée d'un sentiment de tension et de joie, et d'une conscience, d'"être autrement" que la "vie courante". Ainsi

---

1. In *Jouer et philosopher*, Paris, PUF, 1997.

définie, la notion semble apte à englober tout ce que nous appelons jeu, à propos d'animaux, d'enfants et d'hommes adultes : performances d'adresse, de force, d'esprit, de hasard[1]. »

Le jeu, en effet, n'est pas que pur divertissement qui nous éloignerait de ce qu'il y a de plus tragique dans notre part d'humanité. Il est aussi expression de cette humanité, comme le rappelait avec force le philosophe Friedrich von Schiller : « L'homme ne joue que là où, dans la pleine acception de ce mot il est homme, et il n'est tout à fait homme que là où il joue[2]. » À la fin du XVIIIe siècle, le philosophe allemand développe le concept de *Spieltrieb*, véritable « pulsion du jeu » : il en fait le lieu où se réunissent les deux modes de relation au monde, le mode contemplatif (*Sinntrieb*) et le mode actif (*Formtrieb*). En ce sens, jouer n'est jamais anodin, qu'il s'agisse du jeu de l'enfant ou du jeu de l'adulte, on joue toujours de « façon essentiellement liée à notre humanité ».

De quoi repenser le selfie, dont l'apparition coïncide avec une humanité en pleine mutation, dans sa dimension ludique. Toutefois, rappelle Colas Duflo, « le jeu est l'invention d'une liberté par et dans une légalité » : il associe la règle à la liberté. Or ce jeu qui questionne nos *je*, s'il est l'expression d'une liberté, se soustrait en revanche à toute règle. Et

---

1. Joan Huizinga, *Homo ludens. Essai sur la fonction sociale du jeu*, trad. C. Seresia, Paris, Gallimard, 1951 ; rééd. coll. « Tel », 1988, p. 58.
2. Friedrich von Schiller, *Lettres sur l'éducation esthétique de l'homme*, trad. R. Leroux, Paris Aubier, 1943, rééd. 1992, p. 221.

dans cette perspective, l'objet-écran redevient « jouet » divertissant pour grands enfants.

Les sens du message : codage et encodage

Quel sens peut-on alors donner à un selfie ? Que révèle-t-il d'intentionnel ?

Le selfie est un message abstrait. Une image non interprétable (car interprétable à l'infini), sans véritable langage, mais qui pourtant reste signifiante, qui malgré tout *dit* quelque chose au-delà d'elle-même. Ainsi en est-il de ces selfies postés sur les réseaux sociaux qui tantôt sont l'expression d'une humeur, tantôt s'accompagnent d'une demande de reconnaissance ou de réassurance, ou d'un mouvement comique, ou encore d'un sentiment de fierté.

La force du selfie réside incontestablement dans le fait qu'il nous donne l'impression d'être l'auteur de notre propre image et de la maîtriser. Le message qu'il renvoie est prioritairement celui-là : « Je suis ce que je montre. Il n'est plus question que vous m'envisagiez autrement que l'image que je donne à voir », traduisant une forme de toute-puissance : « Je maîtrise mon monde comme je maîtrise mon image. » Le codage gestuel, par le biais de poses diverses – bouche en cul de poule, tête penchée, position de trois quarts, prise de vue en plongée, moue singulière etc. – est évidemment très important. Le code du selfie est une mise en scène de soi-même. Mais « ce qui caractérise le selfie, souligne André Gunthert, c'est au contraire la forte composante occasionnelle, l'inscription dans un contexte ou une situation, ainsi que la relative impréparation, manifestée par les défauts formels, comme un cadrage incertain ou la déformation des perspectives[1] ». Dans le message que renvoie le selfie, il y a ce qui est intentionnel – la prise de pose –, mais aussi quelque chose de spontané, d'irréfléchi, presque de pulsionnel qui échappe à son auteur.

Cela n'est pas étonnant, dans la mesure où, on l'a vu, le selfie est questionnement identitaire, expression d'un corps métamorphosé qui échappe inlassablement à la saisie objective de son auteur. Le selfie se présente comme une tentative de réponse aux troubles que constitue la représentation de soi. Cette mise en scène du corps est aussi révélatrice des manques à être du sujet, ou de ce que nous pourrions appeler ses « ratages ». Dans sa difficulté à exister, son impossibilité à affirmer sa singularité, le sujet se disloque, s'éparpille, se perd lui-même. L'acte selfique vient alors, en quelque sorte, rassembler le sujet morcelé, éclaté, l'écran se substituant au cadre contenant capable de le maintenir dans sa position. Cela passe par le corps. Un corps chosifié, réduit à sa pure représentation, tout entier dédié à la jouissance narcissique et au self-ego. « J'y crois pas ! J'ai posté y a 2 mn une photo trop bien de moi et j'ai pas encore atteint mon score habituel de like[2] », clame Sidonie, 16 ans. Un corps en crise identitaire, jeté dans la béance des appréciations subjectives.

La mise en abîme de cette quête identitaire – où je me regarde en train de me regarder – peut aller encore plus

1. André Gunthert, *op. cit.*
2. Illustration proposée par Thu Trinh-Bouvier, *op. cit.*, p. 98.

loin : quand le smartphone est utilisé pour photographier l'image qui se reflète dans le… miroir. Si bien que ce n'est plus le sujet qui est pris en photo, mais le reflet du sujet : l'image de l'image, en quelque sorte. Comme l'œuvre de l'artiste définie par Platon au livre IX de *La République* – qui imite le monde sensible, lequel n'est lui-même qu'une copie du vrai monde, intelligible –, ce type de selfie nous éloigne de trois degrés de la réalité – celle du *moi* : il y a le ressenti intérieur, le reflet dans le miroir et, enfin, l'image qui s'affiche sur l'écran du smartphone. Loin d'apporter une réponse à la quête identitaire, cette mise en abîme selfique ne fait que s'en éloigner et rendre le moi encore plus abstrait.

Mais le miroir… cet objet si étrangement peu banal, l'en-*je* littéral de l'acte selfique, cet objet de « reflet », qui n'a cessé de questionner au travers des siècles, symbolise bien les rapports compliqués que l'on entretient avec soi-même. Le Moyen Âge l'a mis en exergue en parlant de l'homme comme de l'*imago dei* : en l'homme se reflète l'image de Dieu. Le même mot latin, *speculum*, désignait le miroir, ou, au sens figuré, une représentation fidèle. Le reflet du miroir est *análogon*, un « autre soi-même ». Mais il y a toujours un écart irréductible – qui échappe à Narcisse, lequel prend le reflet pour la vérité. Le représenté n'est pas *adéquat* à l'être. En ce sens, le miroir devient un lien – un intermède –, entre l'être et l'apparaître, entre le sujet et sa représentation, entre le même et l'autre, entre l'identité et la différence. Mais aussi un écart qui révèle parfois : le miroir, objet de contemplation et de réfléchissement, peut créer la surprise d'une saisie de soi insoupçonnée, imprévisible… On se trouve alors comme « saisi » par sa propre image, comme si on découvrait un « étranger » dans le reflet.

Dans le « je(u) au miroir » selfique, l'acte même de réaliser un selfie est déjà message, toujours signifiant mais rarement signifié.

Les sens de l'envoyeur

Mais à qui s'adresse ce message selfique ? Le selfie a surtout une valeur parce qu'il est posté, publié, c'est-à-dire qu'il est à l'*adresse* de quelqu'un.

Ce quelqu'un n'est pas nécessairement une personne en particulier, mais plutôt l'*autre* dans sa généralité, c'est-à-dire la planète Net. Il y a dans le fait de publier un selfie sur les réseaux sociaux quelque chose de l'ordre de l'exhibition et du voyeurisme : l'auteur du selfie s'exhibe dans le but d'être vu, d'être perçu, amenant son public, celui à qui s'adresse ce selfie, à jouer le rôle du voyeur. Un comportement qui favorise et alimente le fantasme. Et c'est peut-être là l'une des perversions les plus caractéristiques de notre société hypermoderne : la substitution du fantasme à l'imaginaire, illustrée par cette recherche continue du rapport exhibition/voyeurisme.

Nous avons déjà développé l'importance qu'a prise l'image dans le passage du *logos* à l'*eidôlon*. Mais encore faut-il préciser à quel point la prolifération d'images éphémères a pour conséquence de nuire à l'imagination, de la brider. L'imagination a aussi pour étymologie *eidôlon*. Sartre la définit comme « cette apparition qui est dans l'immédiat, réduite à elle-même, […] plénitude intuitive et *subjective* » : c'est sur elle que le sujet étaie sa liberté. Sa prégnance est forte : « Une forte imagination produit l'événement », commente Montaigne qui cherche à lui échapper : « Il y en a qui, de frayeur, anticipent la main du bourreau. Et celui qu'on débandait pour lui lire sa grâce, se trouva roide mort sur l'échafaud du seul coup de son imagination. Nous tressuons, nous tremblons, nous pâlissons et rougissons aux secousses de nos imaginations, et renversés dans la plume sentons notre corps agité à leur branle, quelquefois jusques à en expirer. Et la jeunesse bouillante s'échauffe si avant en son harnois, tout endormie, qu'elle assouvit en songe ses amoureux désirs… » Sartre parle aussi de « névrose imaginaire ». L'auteur des *Mouches* dénonce un usage de l'imaginaire qui pousse le sujet jusqu'à une néantisation du monde. Et, plus encore, du sujet lui-même car « le sacrifice de l'être par la fable » entraîne une « déréalisation systématique ».

Oui, mais voilà que la fable a disparu et que l'image a pris le pas sur l'imagination. Avec le retrait du langage – que Bachelard place « au poste de commande de l'imagination[1] », sans *logos*, plus d'imaginaire. Et sans imagination, *quid* du sujet ? L'imagination n'est plus une source vive capable d'appréhender le monde. Il n'est pas question ici de rêveries ou d'inspiration au sens artistique, ni même de

---

1. Gaston Bachelard, *La Terre et les Rêveries de la volonté*, Paris, José Corti, 1945.

créativité, mais d'une incapacité à se *projeter* dans l'à-venir. Sans imagination, il n'est plus possible d'anticiper l'avenir, de se projeter (au sens de faire des projets).

Et sans la possibilité d'imaginer sa vie, on se contente de la fantasmer. Il ne s'agit pas là de « fantasmes » au sens psychanalytique, mais au sens étymologique grec de *phantasma*, « apparitions ». Le fantasme laisse apparaître un semblant de réalité et, en aucun cas, la potentialité d'une réalité. L'*eidôlon* ne permet plus un accès direct à la réalité : il nous fait entrer dans une *hyperréalité*, une réalité augmentée par la représentation d'elle-même.

Dans ce contexte où il peut être compliqué de démêler le vrai du faux, le réel du virtuel, quelle peut être l'intention de celui qui réalise un acte selfique ?

Elle est difficile à décrypter. J'ai déjà évoqué l'importance du regard de l'autre qui viendrait confirmer mon existence, la nécessité d'être rassuré narcissiquement, mais aussi l'aspect ludique également et le partage amical. Il y a un autre point important à considérer : quand le selfie se fait appel.

On peut le voir aussi comme une bouteille lancée dans cette mer de virtualité : un appel au secours, un appel à l'aide, un appel à l'autre. Un appel qui serait une réponse au sentiment d'impossibilité de tisser un lien réel à l'autre ; une réponse à la douleur ressentie de ne plus arriver à *dire* ; une réponse à l'incapacité d'être soi. Le selfie deviendrait une tentative de traduire notre singularité et de tenter de l'exprimer à l'autre. Ainsi, s'offrir en photo, s'exhiber, c'est aussi *se donner*. Dans cet acte qui consiste à se donner, on peut voir une volonté de traduire à l'autre notre *moi*. En ce sens, le selfie devient tentative de sincérité : *être-soi-pour-l'autre.* Une sincérité bien sûr impossible, car le selfie ne peut exprimer qu'une infime partie de soi, et donc condamne au silence : une tentative avortée de se dire, de se donner et d'être *entendu.* Ainsi, le selfie peut aussi être compris comme un *hurlement d'amour* : une clameur des profondeurs qui crierait à l'injustice d'un manque ontologique qui ne saurait être comblé. Une révolte de l'intérieur qui demanderait à exister encore. Toujours. Plus fort.

C'est toute la question de nos liens d'altérité qui est en jeu dans l'acte selfique. Le selfie exprime aussi nos manques-à-être individuels et notre incapacité à retrouver le sens d'un lien profond à l'autre, notre douleur à s'aimer soi-même, à s'accepter au-delà de toutes les injonctions hyper-modernes de « devoir-être » : devoir-être beau, devoir-être sportif, devoir-être écolo, devoir-être performant, devoir-être en bonne santé, devoir-être aimant, gentil, compréhensif, empathique, bon parent, etc. Dans ces injonctions, il y a peu de place pour l'erreur, pour les mauvais choix, pour la peur, pour le doute, pour l'impuissance, pour l'ignorance, pour la colère, pour l'égoïsme… qui sont autant de comportements terriblement humains, à l'origine même de ce que nous sommes. Les nier, c'est nier une partie fondamentale du sujet. C'est se mettre dans l'incapacité de trouver *sa* place dans le monde, car il n'y a plus *de* place pour accueillir tout ce que nous sommes – nous retrouvons là le problème d'un espace sans profondeur, réduit à deux dimensions. La certitude acquise que je n'ai pas le droit d'échouer, de me tromper, d'avoir manqué la bonne voie, provoque une terrible censure morale : on a vite fait de se reprocher d'être *soi*. L'amour de soi devient une histoire impossible.

Ainsi considéré, le destin du sujet hypermoderne ressemble à une sorte de cauchemar : condamné à appeler à l'aide sans qu'un mot sorte de sa bouche, acculé à la solitude, à l'incompréhension, à l'angoisse. C'est aussi sur un tel quiproquo que se construisent ses relations avec les autres.

Les sens du destinataire

La frustration est du côté de l'envoyeur, mais qu'en est-il du côté du destinataire ? Le destinataire peut être une personne particulière, mais plus souvent, il s'agit de l'autre aux multiples visages que constitue l'ensemble de nos « amis » sur les réseaux sociaux. Ainsi les acteurs des réseaux sociaux deviennent des juges au regard implacable, dont le pouvoir de « liker » ou pas renforce ou fragilise notre narcissisme. En quelque sorte, s'inscrire sur un réseau social, c'est accepter – en même temps qu'exhibitionniste de notre propre vie privée – d'être un « voyeur », un « censeur », un « juge ». Un voyeurisme qui participe à notre jouissance en nous conférant un certain pouvoir – représenté par la libre appréciation – sur l'autre.

Il y a déjà toujours une curiosité jouissive à pénétrer dans l'intimité d'autrui sans qu'il le sache expressément. C'est bien cela qui nous est offert lorsqu'on découvre un selfie sur Facebook, adressé à tous et donc à personne : la possibilité de se délecter de ce moment d'intimité, en toute discrétion. Nous sommes dans la situation de l'homme espionnant une scène, caché derrière une porte, par le trou de la serrure, dont Sartre analyse toute l'ambigüité : « Imaginons que j'en sois venu, par jalousie, par vice, à coller mon oreille contre une porte, à regarder par le trou d'une serrure. Je suis seul... Or, voici que j'ai entendu des pas dans le corridor : on me regarde. Qu'est-ce que cela veut dire ? C'est que je suis soudain atteint dans mon être et que des modifications essentielles apparaissent... C'est la honte ou la fierté qui me révèlent le regard d'autrui et moi-même au bout de ce regard, qui me font *vivre*[1]... » Sartre traduit admirablement bien tout ce qui se joue dans ce jeu de regards : la curiosité malsaine quand je sais ne pas être vu, qui dévoile ce qu'il y a de plus vil en nous ; mais, au moment où je suis saisi, pris au piège par le regard d'autrui, *vu en train de voir*, surgit la honte. La honte qui révèle ma relation d'aliénation à l'autre.

Sauf que, lorsque je me connecte sur Facebook ou sur Instagram, et que je me délecte d'un moment d'entrée dans l'intimité et la vie de l'autre, personne ne peut me surprendre *en train de voir*. Ma jouissance est totale, mon pouvoir irrévocable. Et rien ne vient m'en faire prendre conscience.

Ce qui dans le selfie peut susciter l'intérêt pour le destinataire, c'est donc l'entrée dans l'intime. Mais il convient

---

1. Jean-Paul Sartre, *L'Être et le Néant*, Paris, Gallimard, 1943, pp. 298-300.

alors d'introduire ici, à côté du couple infernal voyeur/exhibitionniste, un autre couple, celui d'*intime/extime*, mis en avant par Jacques Lacan. Serge Tisseron, rendant compte de la première télé-réalité française, « Loft Story », a repris et s'est approprié la notion d'*extimité*, qu'il préférait à « exhibitionnisme » pour qualifier un processus qui témoigne selon lui du désir de se rencontrer soi-même en faisant valider par l'autre des fragments de soi. Le sens que lui donnait Lacan est un peu différent.

Pour l'expliquer, il faut remonter à la notion de *chose* introduite par Freud pour exprimer la trace indélébile laissée par l'Autre maternel chez l'*infans* (l'enfant avant qu'il ne parle), bien avant qu'il puisse accéder à son être. Cette *chose*, il ne la distingue pas encore de lui-même tant qu'il n'a pas la parole. Au moment du langage, quand il se constitue comme sujet (nous y reviendrons un peu plus loin), et qu'il se différencie de l'Autre, il perd de façon irrémédiable cette *chose*. Mais elle laisse dans son inconscient une trace indélébile de jouissance à laquelle le sujet ne peut s'empêcher d'aspirer perpétuellement.

De la *chose* freudienne, cet extérieur maternel archaïque perçu par l'*infans*, Lacan extrait l'*extime* comme une sorte d'« impossible » de la jouissance à partir duquel va se constituer le sujet de l'inconscient[1]. Autrement dit, la relation entre l'intime et l'extime traduit une rencontre entre une impossible jouissance (car il n'est plus possible de retrouver

1. Jacques Lacan, *Séminaire XVI, l'éthique*, Seuil, Paris, 2006, p. 249.

la *chose* irrémédiablement perdue autrement que sur le mode fantasmatique) et en même temps la recherche constante de cette jouissance (par le biais du désir).

En même temps que le destinataire qui reçoit un selfie devient voyeur, qu'il jouit de cette possibilité de saisir l'intime de l'autre, l'envoyeur, exhibant son intime, jouit de cette extimité. Tous deux deviennent les complices d'une même jouissance.

Une jouissance sans visage : l'onanisme selfique

De jouissance, il est beaucoup question dans le selfie. De jouissance narcissique, de jouissance égotique, de jouissance esthétique, de jouissance ludique... mais surtout de jouissance onanique ! Car cette jouissance-là se vit exclusivement tout seul : ressentir l'éprouvé de son corps, maintenir la pause, culminer dans l'extase d'un *Éros* narcissique à son acmé, maintenir la fébrilité de soi à son plus haut niveau par le nombre de *like* récoltés et d'approbations de soi engrangées. L'acte selfique est onanisme pur, masturbation narcissique compulsive pour les plus jeunes, maintient d'un éros illusoire et bancal pour les plus âgés. L'acte selfique est la masturbation massive de l'hypermodernité, vaine tentative de réponse à l'angoisse et au vide auxquels elle nous renvoie parfois.

Mais là encore on se retrouve dans une mise en abîme, car non seulement l'acte selfique est onanique, mais il peut aussi devenir l'expression directe de l'onanisme. C'est le pari de beautifulagony.com dont le concept est simple : il invite à se photographier au moment de l'orgasme et à poster cette photo sur le site. L'idée est de démontrer que le visage et ses expressions sont plus importants que le corps en matière d'érotisme. Dédié à la beauté de l'orgasme – *beautiful agony*, désigne en anglais la « petite mort », ce sentiment de total abandon que l'on éprouve au moment de l'orgasme –, le site précise qu'il ne s'agit en aucun cas de pornographie, « on ne voit que les visages en mode selfie ». Ainsi, « loin du voyeurisme, beautifulagony.com, c'est une explosion de sensualité et d'érotisme. [...] Les visages se crispent, les lèvres se pincent, les expressions sont naturellement magnifiées. Le bonheur de l'orgasme irradie sur chaque visage ».

La petite mort est « selfisée »... Mais que découvre-t-on de soi quand, au lieu de vivre l'instant, on s'interrompt pour le photographier ? Photographier la jouissance en pleine jouissance, c'est interrompre cette jouissance. Il en va de même pour la vie : la mettre en scène ou l'interrompre pour la photographier nous met à distance du fait même de vivre. Cela nous place désormais *à côté* et non plus *dans* la vie.

Des sites étonnants voire saugrenus comme beautifulagony.com pullulent sur le Net. Et il ne s'agit pas d'en faire un exemple. Toutefois, cela illustre bien l'idée qu'au lieu de vivre des moments réels, nous avons tendance à nous « oublier » dans le virtuel. La sexualité n'est pas épargnée.

Par ailleurs, l'onanisme selfique est révélateur d'un comportement hypermoderne plus inquiétant : désormais nous cherchons notre jouissance en dehors de l'autre, je jouis de moi et par moi. L'autre n'est plus appréhendé comme partie possible venant à la rencontre de moi-même, mais plutôt comme différence excluante, m'éloignant de moi-même. Il peut être un moyen, il n'est jamais plus une fin. Cela nous renvoie une fois de plus à l'impossible rencontre avec l'autre, à la difficulté de créer des liens réels et profonds.

En témoigne d'ailleurs notre manière de « consommer de l'amour ». Après avoir longtemps cru au Prince charmant, après avoir compris que le Prince charmant était aussi le loup capable de manger le Petit Chaperon rouge, la génération Z ne se fait plus aucune illusion et a abandonné toute forme de croyance amoureuse. Elle est au-delà du désenchantement. Aussi, il n'est plus question d'attendre que la jouissance vienne du côté de l'autre, mais de se servir *hic et nunc*; seul, vite. Excluant par là non seulement toute rencontre, mais surtout toute forme d'acceptation de la différence. Désormais, ce que l'on recherche chez « l'autre », c'est « le même ». Ce n'est plus l'*alter*, mais l'*ego*. En l'autre, j'ai besoin de retrouver mon image; en l'autre, j'ai besoin de me voir; en l'autre, j'ai besoin de m'entendre… L'autre est ontologiquement nié dans ce qu'il est, c'est-à-dire dans sa *différence* constitutive.

Mais le *je* sans le *tu* n'est que pure illusion, simple allusion. Sujet disloqué, inachevé, en quête d'une perpétuelle réassurance : en pleine métamorphose.

Le sexting

Dans cet ersatz d'amour, c'est en toute logique qu'outre la recherche d'une jouissance affichée, capturée en un clic, les selfies et les images se sont aussi immiscés au cœur même de la sexualité. En 2005, un mot-valise a fait son apparition, le *sexting*[1], contraction de *sex* et de *texting* (envoi de SMS).

Le sexting ou sexto est un message électronique – généralement envoyé de smartphone à smartphone – à contenu pornographique ou sexuel. Le sexting peut s'écrire mais aussi et surtout « se voir », comme le rapportent les chercheurs américains Sameer Hinduja et Justin W. Patchin, du Cyberbullying Research Center, qui mettent en garde contre cette pratique : il s'agit bien de donner à voir du sexe, à réduire plus encore la frontière entre l'intime et l'extime ; c'est aussi se mettre en danger, car ces photos explicites peuvent être diffusées sur la Toile et nuire à la réputation de leur auteur, voire donner lieu à des chantages.

Mais, si le sexting est nuisible à ce point, d'où vient qu'il soit de plus en plus pratiqué[2] ? Il concerne essentiellement les adolescents, dont le questionnement sur la sexualité est

---

1. Le terme est apparu en Australie en 2005, dans un article du *Sunday Telegraph*.

2. Comme le relève Jeff Temple, professeur agrégé et psychologue à l'Université du Texas, auteur d'une étude publiée dans la revue scientifique *Pediatrics* : « Ce comportement n'est pas nouveau, c'est juste une nouvelle façon de communiquer. » Par contre, son étude, qui porte sur 1 000 adolescents, révèle que ceux qui pratiquent le sexting sont actifs sexuellement plus tôt que les autres. Il en déduit que la pratique du sexting « peut agir comme une passerelle ou un prélude à des comportements sexuels, et prédispose à des rapports sexuels plus précoces », précisant : « Le sexting s'inscrit dans le contexte du développement sexuel des adolescents et peut être un indicateur pertinent de leur activité sexuelle future. »

bouillonnant. Notons avec Erik H. Erikson que, « si le "Je" admire l'image de son soi corporel (comme le fit Narcisse), il n'est pas amoureux de son moi (autrement, Narcisse aurait gardé son équilibre), mais d'un seul de ses "soi", c'est-à-dire du soi corporel reflété par les eaux[1]... ». L'écran du smartphone fait aujourd'hui office des eaux dans lesquelles Narcisse mire son reflet.

Et Narcisse n'est pas conscient de sa sexualité, il ne se sait ni homme ni femme, c'est d'une image asexuée dont il tombe amoureux : « Tandis qu'il buvait, il fut séduit par son image qui se reflétait dans l'eau : il tombe amoureux de sa propre beauté. Il prend pour un corps ce qui n'est que de l'eau. Il admire ses yeux qui brillent comme des étoiles, ses cheveux aussi blonds que ceux d'Apollon, sa bouche gracieuse, son teint d'ivoire et de rose. Combien de fois il essaie d'enlacer, d'embrasser ce visage sans jamais parvenir à le toucher ! Alors que l'autre répond à tous ses gestes d'amour par les mêmes gestes, alors que seule un peu d'eau les sépare, pourquoi ne peuvent-ils se rejoindre ? Il se met à pleurer, ses larmes troublent la surface de l'eau et l'image disparaît[2]. » Narcisse est celui qui éprouve les premiers frémissements du désir sexuel, un peu comme ces adolescents qui jouent à faire vibrer la corde sensible de leur désir en s'échauffant par des sextings. Un désir qui ne passe plus par

1. Erik H. Erikson, *Identity Youth and Crisis*, trad. J. Nass et C. Louis-Combet, Paris, Flammarion, 1972, p. 231.

2. Ovide, *Les Métamorphoses*, livre III, traduit et adapté par Stanislaw Eon du Val, Paris, Gallimard, coll. « Folio Classique », 1992.

les mots, mais par d'éphémères images. Un désir aussi vaporeux que la trace que laissent celles-ci. Le sexting est donc bien révélateur de notre sexualité dont le jeu n'est plus celui de l'effeuillage littéraire, comme jadis, du temps de George Sand qui s'amusait à enflammer ses amants de mots passionnés et de déclarations sans équivoque, mais en reste proche.

« La première [des] crises de l'adolescence est celle de l'intimité[1] », rappelle aussi Erikson. La mise à nu du corps sans pudeur, sans défense, sans armure, le « tout-montrer » au prix du ne-plus-rien-cacher, est une manière de se rassurer. Cependant, loin d'alimenter le désir, le « tout-montrer » est au contraire vecteur d'enrayement. Une étude réalisée[2] par Christyntje Van Galagher, chercheuse hollandaise de l'université de Wageningen, confirme que, plus on s'expose personnellement sur les réseaux sociaux et sur Instagram, moins on fait l'amour. L'explication qu'elle en donne est

---

1. Erik H. Erikson, *op. cit.*, p. 141.
2. L'étude, intitulée « Het fotograferen van ontbering en eenzaamheid » (« Les photographies du manque et de la solitude »), réalisée auprès de 800 personnes adeptes du selfie (à différents degrés), révèle que 83 % d'entre elles ne sont pas satisfaites de leur vie sexuelle. Mais le constat le plus parlant reste le fort contraste entre la quantité de publication de selfies et le nombre de rapports sexuels : la moyenne de selfies postés par les sujets interrogés est de 45 photographies par mois, pour à peine 2 rapports sexuels en moyenne au cours de la même période. Voir à ce sujet l'article de Nathan Weber sur http://www. demotivateur.fr/article-buzz/l-exc-s-de-selfies-serait-li-au-manque-de-sexe–1998.

édifiante : « Les personnes addictes au selfie évaluent leur niveau de bien-être social en se basant sur les "likes" que les images – construites – de leur moi reçoivent. En utilisant des filtres et autres technologies de manipulation d'images, ils tentent de fabriquer une image idéale d'eux-mêmes. La vie réelle, elle, est sans Photoshop. » Le selfie serait révélateur d'une vie rêvée, photoshopée, et qui traduirait un profond sentiment d'isolement et d'insécurité dans la vie réelle. Une insécurité et un sentiment d'isolement qui se traduisent par une absence ou une faible fréquence des relations sexuelles. En clair : « Plus je selfise, moins je fais l'amour. » N'oublions pas que plus je passe de temps à rêver ma vie, moins je la vis concrètement. Ce qui signifie que plus je passe de temps sur l'écran de la virtualité, moins j'éprouve la joie de vie de la réalité. La sexualité est aussi victime des conséquences de ces nouveaux paradigmes.

6

Une révolution pathologique

Thanatos en tension

Faire un selfie peut donc être ludique, amusant, joyeux, un moment de partage et d'échange. Mais, à l'inverse, cela peut être un acte morbide, sinistre, extrême. Les exemples de moments où le selfie bascule dans l'indécence ou le tragique sont nombreux : depuis les selfies réalisés à côté d'un mort ou à côté d'un SDF, posant toute la question du respect de certaines valeurs, à ceux qui « tournent mal » et finissent par tuer ceux qui les réalisent. Sans oublier ces S.O.S. jetés sur la Toile à l'adresse d'un regard abstrait, hurlant le désespoir d'une solitude qui ne trouve plus d'écho. Le selfie peut aussi devenir l'emblème de nombreuses dérives individuelles ou sociales et tenter d'exprimer des souffrances parfois indicibles.

Selfi'morbide : la limite entre le normal et la pathologique

Un concours russe malsain, qui propose à ses participants de réaliser un selfie à côté d'un cadavre... Le selfie d'Amran Hussain, touriste britannique de 29 ans et ancien candidat du Parti travailliste, devant la plage de Sousse en Tunisie où trente-huit personnes viennent de perdre la vie lors d'un attentat... Un jeu trash pour ados où il est question de réaliser un selfie décalé à des enterrements : « Ceux-ci ont en effet cru bon de prendre la pose pendant les funérailles d'un proche et de poster la photo sur Instagram... Et histoire de ne pas en louper une miette, un Tumblr intitulé Selfies at Funerals compile ces autoportraits. On découvre alors des jeunes gens fiers de leur coupe de cheveux, d'autres grimaçant dans une voiture ou même certains conscients d'être borderline mais postant tout de même le cliché sur les réseaux sociaux », note la journaliste Sabrina Pons... Une adolescente qui pose joyeuse et souriante devant les baraquements d'Auschwitz... Le selfie plonge parfois en pleine indécence.

À force de se photographier le visage, il semblerait qu'on finisse par perdre la tête. Ce qui est surtout inquiétant, c'est que le selfie paraît anesthésier tout sens moral. On se trouverait presque à la frontière entre le normal et le pathologique. Bien que Georges Canguilhem, lorsqu'il publie *Le Normal et le Pathologique*, prenne bien soin de rappeler, en tant que médecin et philosophe, qu'un état pathologique est un fait normal dans la mesure nous sommes tous tôt ou tard confrontés à la maladie : il préfère distinguer le sain et le malsain... ce qui s'applique très bien au selfie. Réaliser des selfies peut en effet nous plonger dans un tel bain d'obscurité que la frontière entre la décence et l'indécence, le vulgaire et l'esthétique, le bien et le mal, le dangereux et l'audacieux n'apparaît plus clairement.

Thanatos en tension

On peut même dire que l'excès de selfie nous ôte une part de notre faculté de jugement. Prenons un exemple. Le 13 décembre 2015 a eu lieu en France le deuxième tour des élections régionales. Le premier a révélé une montée en puissance du Front national alors que le taux d'abstentionnistes avoisine les 50 %. Dans ce contexte, Cyril Hanouna, présentateur sur D8 de « Touche pas à mon poste », émission destinée à un public plutôt jeune, lance sur Twitter un « jeu » : il propose aux gens de se prendre en photo au moment où ils votent et de poster ce selfie sur la page de l'émission. Bien sûr, les meilleurs selfies passeront à l'antenne : reconnaissance ultime ! Son intention est d'éveiller la conscience politique des jeunes en les poussant à aller voter. Mais, au lieu de les responsabiliser, il ne fait que les rendre prisonniers d'une absence de jugement : d'un devoir civique il fait un jeu télévisé et, en leur dictant leur conduite, il les « moutonnise »… Tant, le temps d'une photo, le selfie peut nous priver de notre propre jugement et nous éloigner de tout esprit critique.

Quand l'humour n'est plus de mise : de la liberté de monstration à la honte

Il est un moment où l'humour n'est plus de mise : même si la vieille question « Peut-on rire de tout ? » taraude les plus brillants esprits, il n'empêche que la limite de l'humour se trouve là où il fait mal. Quand le comique blesse, *de facto* il ne fait plus rire. Et que l'on ait ou pas le sens de l'humour n'est pas la question. Baruch Spinoza, qui considère le rire et la plaisanterie « comme une pure joie », écrit aussi : « Entre la moquerie et le rire, je fais une grande différence[1]. » Pour lui, le rire de la satire est un mauvais rire, et il en fixe la limite à la bassesse, à la bêtise et à ce qui offense la dignité. Les attentats de janvier 2015 contre le journal satirique *Charlie Hebdo* ont relancé le débat sur la liberté d'expression. Si le recours à la violence est indéfendable, la liberté d'expression précieuse, la limite à imposer à l'humour n'est-elle pas simplement celle de la finalité : le but est-il de susciter la joie qu'évoquait Spinoza, de faire un « mot d'esprit » qui fasse appel à l'intelligence de chacun, comme le veut Bergson[2], ou bien de blesser, de faire mal ? Toute la différence est là – même s'il peut aussi arriver de blesser quelqu'un non intentionnellement.

La même question se pose pour les selfies qui, dans certaines circonstances, ne font pas rire du tout, à l'image de ces « Selfies with Homeless People », représentant des adolescents posant hilares ou grimaçants avec des SDF, rassemblés en février 2014 sur un blog aux États-Unis. Ils ont provoqué une vague d'indignation. Le créateur du blog lui-même, Jason Feifer, s'est défendu d'avoir voulu célébrer ces pratiques : son but était de mettre simplement le doigt dessus et d'infliger à leurs auteurs l'humiliation publique qu'ils méritaient.

---

1. Baruch Spinoza, *L'Éthique*, IV, 45, sc.
2. « Le comique naîtra quand les hommes réunis en groupe dirigeront leur attention sur l'un d'entre eux en faisant taire leur sensibilité et exerçant leur seule intelligence », *Le Rire* [1900], Paris, PUF, coll. « Quadrige », 1997.

Ces selfies ne font que montrer, sans rien *dire*. Leurs auteurs s'arrogent le droit d'une prétendue « liberté de monstration ». Et le problème de cette « liberté de monstration », c'est qu'elle s'impose, qu'elle passe en force : c'est le propre du mur de Facebook par exemple, où on est amené à voir ce qu'on ne cherche pas.

Mais parce que, matériellement, il est possible de « tout montrer », est-ce pour autant une liberté ? En aucun cas, et il faut noter que, d'une part, celui qui expose ce genre de selfie indécent n'a souvent pas conscience de son acte – de nombreux jeunes ont par exemple exprimé après-coup leurs regrets d'avoir posté ces selfies avec des SDF, une fois confrontés à leur acte –, il ne s'agit donc pas d'un acte délibéré et « libre » ; d'autre part, celui qui le reçoit, au regard de qui l'image s'impose, n'en a souvent pas fait le choix. La « liberté de monstration » n'a rien à voir avec la liberté. Et s'il n'est pas facile de fixer une limite à la liberté d'expression, en revanche, il y a une limite à la monstration et au montrable : elle s'appelle la *honte*. La honte entendue comme dernier refuge de la conscience morale, après la paralysie de la faculté de jugement.

Au-delà du dicible, les limites du montrable : « l'effet selfie »

Là où la pulsion de mort (Thanatos) joue son plus grand rôle, c'est sans doute lors du passage à l'acte qu'est le suicide. Ce que nous appelons les selfies'suicides sont l'expression même de cette pulsion à l'œuvre.

Le suicide est un acte pathologique, expression d'un profond désespoir. Le sujet, dépossédé de lui-même, est en proie à une pulsion radicale dont nous avons rappelé qu'elle vise à calmer l'intensité de l'excitation par un retour à l'état inorganique. Chaque année, plus de 1 million d'individus se suicident ; quant aux tentatives, on les évalue entre 10 et 20 millions par an.

Il existe une « philosophie du suicide » qui, sans en faire l'apologie, intègre facilement l'idée de mourir : on la retrouve chez les stoïciens (notons toutefois que la représentation de la mort chez les Grecs était bien différente de celle que l'on en a aujourd'hui) qui en font même un acte de liberté possible. Le suicide ressemble cependant davantage à un renoncement – ou à un non-renoncement ? Voir l'exemple donné par Lacan de « la bourse ou la vie » : pour rester en vie, il faut perdre une part de soi-même, accepter « une vie écornée » ; le choix est posé.

De même faut-il distinguer « vouloir mourir » et « ne plus vouloir vivre » : dans le premier cas je vais vers la mort et je suis actif ; dans le second cas, je renonce à la vie et je suis passif. Dans les deux cas, il est question de volonté, comme le souligne Shopenhauer, pour qui le monde n'est pas parfait, loin de là : « La négation de la volonté de vivre n'implique nullement la destruction d'une substance mais purement et simplement l'acte de la non-volonté : ce qui jusqu'ici a voulu ne veut plus. » Faut-il donc errer entre deux mondes, comme si la volonté suspendait sa respiration, tiraillée entre le vouloir et le non-vouloir ? Sentiment intenable qui conduit certains à passer à l'acte.

Or le passage à l'acte peut être « contagieux », comme ce fut le cas à la suite de la publication du roman de Goethe, *Les Souffrances du jeune Werther* (1774) qui a entraîné dans toute l'Europe des vagues de suicides, que nous pourrions qualifier, non sans un certain cynisme, de « suicides romantiques » – « l'effet Werther ». Le sociologue américain David Philipps s'est penché sur ce phénomène de « suicide mimétique » : en 1982, il constate l'augmentation du taux de suicides après la publication dans les médias de l'annonce d'un cas de suicide ; en 1986, il fait la même observation : le taux de suicides a augmenté sept jours après la diffusion d'un cas de suicide cette fois relayé par la télévision. Et plus le relayage médiatique a été intense, plus le taux est élevé. Il en conclut à un lien évident entre les deux.

On peut imaginer l'impact que peut avoir l'effet Werther à l'heure de la surexposition médiatique et de la multiplication des écrans. Le selfie peut contribuer à alimenter cette dynamique morbide.

Jadis, quand une personne avait l'intention de se suicider, elle laissait un mot avant de passer à l'acte. Aujourd'hui, c'est sur Twitter ou Facebook que l'on parle de son intention de mourir. Les annonces de suicide sur les réseaux sociaux sont malheureusement banales. Elles ne sont pas réservées à quelques internautes esseulés. La chanteuse irlandaise Sinead O'Connor a lancé, le 29 novembre 2015, un cri désespéré sur Facebook : « J'ai pris une surdose. Il n'y a pas d'autre moyen d'obtenir le respect. Je ne suis pas chez moi, je suis dans un hôtel, quelque part en Irlande, sous un autre nom […] Si je ne publiais pas ceci, mes enfants et ma famille ne le sauraient même pas. Je pourrais être morte depuis des semaines sans qu'ils le sachent. » La police a pu intervenir à temps et Sinead O'Connor être hospitalisée.

La détresse s'affiche désormais sur la Toile. Et cela n'épargne personne. On poste un message sur Twitter ou sur Facebook, comme une bouteille à la mer de nos indifférences, et on se tue. Dénonçant, au-delà du profond mal-être de ce passage à l'acte, l'ignominie d'un monde marqué par l'absence de conscience et de réalité de l'autre. Comme si les réseaux sociaux devenaient la seule altérité capable d'entendre nos cris mutiques, de nous donner à espérer un lien réel, qui ne peut pourtant être par définition que « factice » et illusoire. Ce qui accroît le sentiment de détresse, d'abandon, de solitude.

Bien sûr, on ne se suicide pas « à cause » d'un selfie. Pourtant, la recherche du « selfie parfait » a presque entraîné vers la mort en 2014 un jeune Britannique de 19 ans, Danny Bowman. Il passait toutes ses journées à faire des selfies, au point qu'il en avait arrêté l'école, faisant jusqu'à 200 selfies par jour. En six mois, il avait perdu douze kilos : « J'étais constamment à la recherche du selfie parfait et lorsque j'ai réalisé que ce n'était pas possible, j'ai voulu mourir. J'ai perdu mes amis, mes études, ma santé et presque ma vie », a-t-il expliqué au *Mirror*. Ce jeune homme a fini par être traité pour dépendance à la technologie, pour des TOC et pour dysmorphophobie (déformation négative de l'image de soi).

D'une solitude virtuelle au virtuel dans la solitude

La solitude, c'est ce moment où l'on attend que quelqu'un vienne, alors que l'on sait pertinemment que personne ne viendra. La solitude, c'est attendre un message, un appel. Longtemps. Désespérément. C'est regarder, par la fenêtre, les visages s'illuminer dans la rue au moindre regard ami ; c'est imaginer le bonheur des autres, fait de connivence et de partage, et se retourner, ne voir derrière soi que le silence, que le vide. C'est consulter compulsivement Facebook, Twitter, Instagram au moindre *like*, en espérant un mot, le début d'un dialogue. C'est chercher dans le virtuel ce qu'on ne trouve plus dans le réel. C'est espérer au-delà du rationnel qu'il subsiste, là, ici, maintenant, caché au fin fond de l'existence, quelqu'un pour nous, quelqu'un pour soi. La solitude, c'est un espoir qui se déçoit à chaque seconde.

La solitude, c'est le silence que personne ne vient briser. Et les heures passent. Toujours les mêmes. Et les jours passent. Toujours les mêmes. Et la vie passe comme s'usent les rêves. Et la vie passe. Dans le silence. C'est cette main qu'on espère, qui vient nous rappeler quand elle nous frôle, quand elle nous touche, qu'on est en-corps vivant ; c'est ce regard qu'on cherche, qui porterait en lui la promesse d'un partage. Une heure. Une vie. C'est cette bouche de laquelle émane une voix chaude et douce, et humide, qui comme une caresse nous tire du néant jusque vers l'humanité des hommes vivants. C'est cette confiance à laquelle on attend de s'abandonner avec la certitude de ne plus jamais se retrouver seul. La solitude, c'est un naufrage. La solitude, c'est un exil. La solitude, c'est le renoncement au monde dans le battement d'un cil. Décalage conscient entre le réel et le virtuel de nos fantasmes ou de nos espoirs.

Au fond, la solitude, c'est une part de ce que nous apporte la révolution numérique, et les changements de paradigme qui vont avec. Nombreux sont les livres, les articles qui décrivent le paradoxe d'une société hypercommunicante et qui en même temps produit de l'isolement. On s'indigne de voir mourir la personne âgée seule chez elle (il aura fallu attendre la canicule de 2003 pour qu'on se souvienne que nous avions des grands-parents et de nous éveiller à la responsabilité que cela incombe) ; on s'indigne de voir tant de jeunesse chercher « l'âme sœur » sur le Net ; on s'indigne des divorces et des familles qui doivent composer avec la recomposition ; on s'indigne de ne plus être compris, ni entendu, au travail, en famille, avec l'autre… On n'en peut plus de dénoncer une société jugée trop « individualiste », « hyperindividualiste ». Et, en effet, comment ne pas « finir » seul quand on s'avance dans le monde avec les certitudes et la toute-puissance d'un hyperindividu ?

Mais peut-être faudrait-il cesser de dénoncer, de s'indigner, mais plutôt accepter l'hyperindividuation, comprendre où elle s'enracine.

L'hyperindividualisme se caractérise par la croyance en une toute-puissance du sujet – croyance qui l'isole naturellement des autres. L'hyperindividualisme est l'affirmation d'un « *je* absolu » qui a pris l'habitude de n'écouter que les mirages de son ego. Il est marqué par une liberté illusoire qui pense que *je veux donc je peux* (entendu comme : *j'ai le pouvoir de faire tout ce que je veux*). L'hyperindividu est persuadé d'avoir raison, convaincu qu'il n'a besoin de personne pour savoir, assuré que rien ne peut lui résister. L'hyperindividu est prisonnier d'illusions qui n'ont de cesse de l'isoler des autres, alors même qu'elles le maintiennent en vie.

N'oublions pas que réaliser un selfie, c'est aussi se prendre soi-même en photo comme si nous étions seul, comme s'il n'y avait personne d'*autre* pour prendre la photo. Il est en cela un acte exprimant la solitude. On a d'abord, avant de dénoncer, le devoir de prendre conscience de ce mal bien plus profond qu'il ne paraît qu'est l'isolement, de réaliser que l'hyperindividualisme n'est qu'une conséquence des métamorphoses de la subjectivité liées à la société numérique et chercher comment resubjectiviser l'individu, c'est-à-dire lui donner une place de sujet dans la société, ce qui passe par une intégration du virtuel au réel.

L'étymologie d'*individu* renvoie précisément à ce qui est « indivisible et autonome ». Par essence, l'individu est donc *isolé*, et reconnaître la prédominance de l'individu, c'est du même coup le sortir du champ du collectif. Mais là où jusqu'à présent la somme des individus parvenait à composer le tout d'une société, le propre de l'hyperindividualisme est justement de ne plus permettre de faire société, parce que chacun a en outre le sentiment – l'illusion – d'un pouvoir absolu et sur sa vie et sur le monde. La volonté hyperindividualiste a fait la peau à la volonté générale.

A-t-on besoin de rappeler que sans les autres nous ne

sommes rien ? C'est une vieille évidence mais qui aujour-d'hui ne va plus de soi. Notre démocratie est malade de son hyperindividualisme, ce qui se traduit par un vide poli-tique ; notre société est malade de son hyperindividualisme, ce qui se traduit par un profond sentiment d'isolement ; notre intériorité est malade de son hyperindividualisme, ce qui se traduit par une désubjectivation dont le selfie est la représentation emblématique.

Or, faire des selfies, c'est aussi une manière de saisir sa subjectivité, c'est-à-dire de retenir notre moi, notre « je »… Mais, adressé à l'autre des réseaux sociaux, qui n'a ni visage réel ni consistance matérielle, cela ressemble à une vaine tentative. Le message passe mal. Là où nous aurions sim-plement besoin d'une main tendue, de chair et de vie, nous n'obtenons toujours que des *like* virtuels qui ne font que confirmer notre solitude réelle.

Mais il y a pire que la solitude pour renvoyer le sujet hypermoderne à la réalité et à lui-même : la mort.

Survivre à la mort digitale

Nous avons évoqué ce moment où le visage de l'autre devient intolérable et où il suffit d'éteindre l'appareil pour qu'il *disparaisse*. Quand par exemple, sur Facebook, une personne semble inconvenante par ses commentaires, qu'on ne désire plus qu'elle figure parmi nos « amis », il est extrê-mement simple de la « bloquer ». Certes, ce n'est pas l'autre au sens littéral qui disparaît, mais son image, son *moi virtuel*. Cette violence, encouragée par la simplicité avec laquelle il est possible de « tuer » une altérité virtuelle, dénonce un type de relation à l'autre particulier.

L'acte n'en est pas moins violent pour celui qui en est victime. Il n'a pas été prévenu, il est mis devant le fait accompli : il a été éliminé d'un répertoire d'amis, sans raison qu'il puisse comprendre. Le voilà comme invité à son enterrement virtuel. Les doutes l'envahissent : pourquoi ? et il en vient à cette conclusion : « Alors, il (elle) ne m'aimait pas ? » Quand on meurt digitalement pour l'autre, il ne reste plus que le réel ! (Et le réel amputé de sa part virtuelle devient fade et inintéressant : avez-vous songé à ce que deviendrait votre vie si Internet n'existait plus ?) La mort digitale, c'est pire qu'un principe de réalité !

Mais l'ère du virtuel a aussi bouleversé notre rapport à la mort. Les jeux vidéo ont été les premiers à offrir la possibilité de tuer, de ressusciter et de vivre plusieurs « vies ». Philippe Gentil, président de la marque Roc-Eclerc, remarquait : « Jamais l'être humain n'avait encore atteint pareille possibilité auparavant. Celle de vivre de manière très réaliste sa propre destruction ou disparition, sa propre mort pour immédiatement après, trouver l'extraordinaire possibilité de renaître et de revivre. Chaque individu le vit à sa façon, mais la griserie est bien réelle, tant les jeux sont réalistes[1]. » Il est alors devenu de plus en plus difficile de démêler le réel du virtuel.

Un point reste cependant assuré, qu'il s'agisse de réel ou de virtuel : le rapport à la mort reste une violence faite au

---

1. « La mort dans les jeux vidéo », *Études sur la mort*, n° 139, L'Esprit du temps, 2011/1, p. 176.

sujet. Sous les allures d'un jeu en ligne peuvent se dissimuler d'autres desseins que celui de « jouer à la guerre », comme le font les enfants de toutes les générations. Le psychiatre Serge Tisseron se souvient ainsi « d'un adolescent qui s'arrangeait toujours pour mettre son avatar dans des situations où il mourait abominablement. En fait, cet adolescent mettait son personnage en danger *pour le voir mourir*[1] ». Il réalisait ainsi, sur le mode virtuel, sa propre mort, en s'identifiant à son avatar. Serge Tisseron précise que rien dans le comportement de cet adolescent n'avait laissé transparaître un quelconque risque suicidaire. Seule l'observation de sa manière de jouer a permis de débusquer un potentiel risque : son avatar, son *moi virtuel* avait parlé à sa place.

Force est quand même d'admettre qu'il est aussi facile de ressusciter que de mourir dans le virtuel. Un clic suffit ! Le virtuel a même réalisé un miracle : celui de la vie éternelle. En effet, s'il est toujours possible de mourir réellement, il devient plus compliqué de tuer définitivement le *moi virtuel*. Et, du cynisme, on en vient à la gravité. Par exemple, lorsque l'auteur d'un blog meurt réellement, il emporte avec lui ses codes, ses références, comme le note Anne Berg : « Par définition un blogueur mort ne peut plus fermer son blog, ni récupérer son contenu, textes et photos[2]. » Le blog reste en suspens ; le blog – et l'avatar, soit le

---

1. « Le risque de la mort virtuelle, les jeux vidéo », *Topique*, n° 107, L'Esprit du temps, 2009/2, p. 248.
2. https://anneelisa.wordpress.com/2009/04/29/la-mort-virtuelle-lidentite-post-mortem-le-business-des-larmes/

moi virtuel du blogueur – survit à son auteur. Et Anne Berg poursuit : « Son blog reste orphelin, ouvert à toute inquisition, pillage de toutes les données personnelles qu'il y a consignées. » On en arrive à des situations extrêmes, où le réel s'entremêle tragiquement avec le virtuel, et « le blog du défunt est condamné à errer sur la Toile, ouvert à tous vents, peut-être même encore alimenté de commentaires, puisqu'il est probable qu'aucun lecteur ou très peu ne recevront de faire-part de décès[1] ».

Il en va de même pour le profil Facebook d'une personne disparue. Cela devient particulièrement sinistre lorsque Facebook vous suggère comme ami une personne décédée…

Ainsi, quand le moi réel disparaît, le *moi virtuel* assure la longévité. Si jadis faire des enfants donnait l'impression qu'une part de soi continue à vivre après notre mort, peut-être que demain il nous suffira de construire des avatars. Survivre à la vie grâce au virtuel va devenir une option. Sans doute même un nouveau business : « Ainsi, de nombreux sites proposent de faire vivre la personne après la mort, de rendre visible sa dernière "demeure" sur la Toile, de proposer une tombe virtuelle, d'organiser un testament numérique ou enfin, de gérer ses identités numériques post-mortem[2] », note la Commission nationale de l'informatique et des libertés (CNIL) qui s'inquiète de la protection des

---

1. *Ibid.*
2. http://www.cnil.fr/linstitution/actualite/article/article/mort-nume rique-ou-eternite-virtuelle-que-deviennent-vos-donnees-apres-la-mort/, octobre 2014.

données personnelles et des libertés individuelles et s'intéresse bien sûr de près à la « mort numérique » et au devenir de nos données numériques après la mort : « {…} comment concilier le droit à l'oubli numérique et les possibilités d'atteindre l'éternité numérique offerte par la vie en ligne ? D'ici quelques années, une majorité des personnes décédées se sera dotée d'une identité numérique post-mortem[1]. »

Que dit la loi ? « La loi ne prévoit pas la transmission des droits du défunt aux héritiers : un héritier ne peut donc, sur le fondement de la loi Informatique et Libertés, avoir accès aux données d'un défunt. La loi autorise toutefois les héritiers à entreprendre des démarches pour mettre à jour les informations concernant le défunt (enregistrement du décès par exemple)[2]. » Mais de nombreuses questions restent évidemment en suspens : « Dans quelles conditions les héritiers peuvent-ils récupérer les données du défunt ? Si rien n'est prévu dans les conditions générales d'utilisation des sites, quels sont les héritiers qui pourront demander la mise à jour ou la suppression des données ? Comment résoudre les conflits entre des héritiers qui n'ont pas toujours la même perception de la volonté post-mortem du défunt (si un héritier souhaite accéder aux données alors qu'un autre souhaite les supprimer)[3] ? »

La question du « droit à l'oubli » ou encore celle relative au « droit à la portabilité des données » devraient faire l'objet

1. *Ibid.*
2. *Ibid.*
3. D'après la CNIL, *op. cit.*

d'un règlement européen… En attendant, elles ont poussé certains grands sites tels que Google ou Facebook à mettre en place des fonctionnalités qui flirtent avec le glauque comme la « gestion de la vie numérique après la mort ». Le principe est simple : après quelques mois de non-utilisation (durée programmable), votre compte sera considéré comme « inactif », et, selon votre choix, toutes les données pourront en être supprimées ou bien transmises à des « héritiers » avec des messages que vous aurez rédigés à l'avance, du genre : « Si tu reçois ce mail, c'est que je suis mort. Avec ce lien, tu peux télécharger le contenu de mon Gmail… »

Faire son deuil à l'heure des réseaux sociaux va devenir un vrai calvaire : « Une notification sur votre téléphone, un matin au réveil, sonne comme un retour en arrière. Les yeux à demi ouverts, votre portable vibre et Facebook vous informe que c'est l'anniversaire d'un ami proche. Sauf que cet ami est mort », raconte le journaliste Gurvan Kristanadjaja dans un article publié dans *Libération*[1]. Il explique que dans l'avenir Facebook sera peuplé de plus en plus de morts : une image bien sombre que cette galerie de profils et de portraits sans vie qui continuent à se maintenir dans la réalité virtuelle ! Et, quand Facebook nous invite à plonger dans le profil de la personne défunte, comment éviter de faire défiler ses photos, de regarder ce qui la faisait rire ou pleurer, de revoir ce qui constituait une part de son identité ? « Le réseau social, prévu pour les

---

1. Gurvan Kristanadjaja, http://www.liberation.fr/apps/2015/08/facebook/#chapitre-1, *Libération*, août 2015.

vivants, vous propose de vous rendre sur son profil pour le célébrer. Ce que vous faites, instinctivement. Et à chaque fois, c'est une petite rechute. Vous passez une demi-heure à faire glisser mécaniquement votre pouce de gauche à droite pour faire défiler les photos. Comme autant de souvenirs du temps ancien où vous viviez avec plus de légèreté », commente le journaliste. Internet prend ici des allures d'au-delà virtuel, à l'espace et au temps insaisissables, à l'immatérialité palpable ou *digitale*. Et les réseaux sociaux deviennent une sorte de lieu de pèlerinage ou de commémoration, de « mausolée digital[1] ».

La réflexion sur ce sujet a pris une ampleur telle que les réseaux sociaux ont fini par réagir. « En 2014, ils ont permis de faciliter les démarches pour accéder à la suppression du compte de la personne défunte si les proches le souhaitent. Ils ont aussi imaginé que les proches puissent transformer le profil en un compte de *"commémoration"*[2] », note le journaliste. Mais, paradoxalement, c'est aussi une manière de faire vivre la plate-forme, puisque, sur ce compte, les amis sont invités à partager des souvenirs, et se pose déjà la question du « legs du compte », avec tout ce qu'il contient d'informations personnelles et identitaires.

Entre la tentation d'atteindre l'immortalité numérique et celle de protéger sa vie intime après la mort, il n'est pas facile de trouver un équilibre. On peut noter que s'il est toujours

---

1. *Ibid.*
2. *Ibid.*

difficile d'aborder la question de la mort dans la réalité, cela l'est tout autant en ce qui concerne sa mort numérique.

Faire des selfies et les poster, c'est aussi une manière d'imposer son identité et sa présence sur la Toile, par-delà toute réalité, de laisser une trace de son passage dans le virtuel. C'est donner consistance à un moi virtuel doué de vie et de mort à répétition, à la longévité peu identifiable. C'est une façon de réaliser un vieux fantasme de l'humanité – jusqu'alors réservé aux dieux : être immortel.

Sous le règne de la reine Victoria, au Royaume-Uni, la naissance de la photographie a modifié le comportement des familles et bouleversé les habitudes. On a vu alors fleurir une étrange coutume : la photographie post-mortem. On faisait poser les membres de la famille autour des personnes décédées. On peut voir sur ces photos un enfant mort, apprêté, entouré de ses frères et sœurs ou dans les bras de sa mère, les yeux ouverts ou mi-clos ; ou encore des personnes décédées maintenues debout par un mécanisme posant seules ou près d'un proche. Elles avaient une valeur de témoignage de la vie… Ces photos sont dérangeantes, mais avec le temps elles ont acquis, par leur mise en scène, un statut artistique. Les selfies pourront-ils aussi s'entendre comme un acte « esthétique » ?

7

Une révolution esthétique

Du visible au voyant

« L'objet propre de l'esthétique, c'est la beauté artistique, dont le jugement des beautés naturelles est un reflet emprunté », explique le philosophe de l'art Charles Lalo. Il exprime par là que si la beauté naturelle existe, elle ne devient en revanche « esthétique » qu'au moment où nous la voyons à travers un art.

Ne pourrait-il en être de même pour le selfie ? Est-il possible de le mettre sur le même plan que l'autoportrait pictural et d'en faire une expression esthétique où la technique artistique viendrait sublimer le modèle réel ? À voir certains arrangements selfiques avec soi-même (parfois il devient difficile sur une photo très arrangée de reconnaître le modèle dans le réel !), la question se pose. Et, désormais, les selfies s'exposent dans les musées ou dans les galeries. Faire un selfie, serait-ce de l'art ?

Le soi, le beau, le monde

Le monde, entend-on souvent, a besoin d'être réenchanté, de retrouver du merveilleux, de renouer avec l'envie de croire et d'aimer. Oui, mais comment ? Peut-être que cela peut passer par le fait de retrouver le sens de la beauté – et plus largement de l'esthétisme.

L'idée n'est pas neuve et déjà Platon fait du « Beau » l'une des valeurs fondamentales de toute vie humaine aux côtés du Vrai ou du Bien. Pour le philosophe, s'il y a un grand nombre de choses belles, elles ne le sont pas en elles-mêmes : ce qui les rend belles, c'est la Beauté en soi, qu'on ne parvient à saisir que si, dès le plus jeune âge, on a appris à tourner son âme vers elle. Pour David Hume également, plus de vingt siècles plus tard, « la beauté n'est pas une qualité inhérente aux choses elles-mêmes » : mais lui la place dans « l'esprit de celui qui les contemple ». Quelle que soit la définition que l'on donne à cette notion, pour faire en sorte que le beau nous apparaisse, encore faut-il que le regard soit prêt à l'appréhender. Or, notre regard, soumis à une flopée incessante d'images, a du mal à éprouver une quelconque émotion esthétique.

On peut cependant considérer la question autrement : le selfie pourrait-il lui aussi s'inscrire dans la quête du beau ? Il est en effet possible de le considérer comme une expression artistique. À la Renaissance, avec l'Humanisme, moment où le sujet émerge, l'homme devient le point de vue à partir duquel s'articule la représentation : en atteste l'apparition d'une nouvelle perspective dans la peinture qui ne s'organise plus à partir du point de vue divin. « La représentation du monde, des êtres et des choses, de la nature, s'ordonne donc à partir de cet œil humain. […] Dès lors le monde se déploie comme un théâtre devant l'œil qui le contemple[1]. » Dans cette sorte d'anthropocentrisme, encore entré dans le géocentrisme, l'homme s'éloigne de la figure tutélaire de Dieu, s'affranchit de son rapport de créature au créateur, accédant à la pleine conscience de soi et de son libre arbitre.

Dans ce contexte, au moment où le sujet naît conceptuellement, le portrait devient peu à peu l'un des sujets majeurs de la représentation picturale. Dans cet exercice, l'artiste tend, sans y parvenir, à atteindre la parfaite ressemblance : à mesure qu'il s'en rapproche, elle semble le fuir. Le visage comme ce qu'il est : insaisissable, à la fois intérieur et extérieur, exprimant le conflit qui se joue entre l'essence et l'apparence.

C'est dans ce contexte aussi qu'apparaissent les premiers autoportraits : du portrait à l'autoportrait, il n'y a qu'un pas, celui qui conduit à une quête de soi toujours plus grande, dans un questionnement toujours plus sincère : *qui suis-je ?* L'un des plus anciens autoportraits est celui de Jan Van Eyck, *L'Homme au turban rouge*, qui date de 1433. Un des grands maîtres du genre est Albrecht Dürer qui se dessine dès l'âge de treize ans puis se représente à nouveau quatre fois jusqu'au fameux *Autoportrait à la fourrure* (1500). C'est presque parallèlement qu'apparaît l'une des premières utilisations du terme *subjectus* dans le sens d'être pensant, dans le *Liber de sapiente* (Le livre du sage), en 1510, de Charles de Bovelles : l'apparition des autoportraits dans la peinture coïncide donc avec l'apparition de la notion de « sujet » dans

1. Pierre Auregan, *Les figures du moi et la question du sujet depuis la Renaissance*, Ellipses, 1998, p. 142.

la philosophie. L'art et la philosophie portent en eux le même questionnement : tous deux utilisent cette notion de sujet ; tous deux s'interrogent sur le regard intérieur et extérieur que l'homme porte sur lui-même.

À l'autoportrait d'hier – qui coïncidait avec la naissance du sujet –, répondrait aujourd'hui le selfie – qui coïncide avec celle du moi virtuel. Dans la revue de l'Academy Art University de San Francisco, Gordon Silveria signe un article intitulé « Selfie vs. Self-Portrait[1] » qui démontre que le premier est directement issu du deuxième : Van Eyck s'invitant dans le portrait des époux Arnolfini ou Vélasquez s'immisçant dans le portrait de la famille royale espagnole ne seraient que des précurseurs du genre. Propos illustré par un de ses élèves, Dylan Vermeul, qui détourne en selfie l'autoportrait de Van Gogh. C'est un sort que subissent sur la Toile d'autres portraits célèbres, l'autoportrait de Rembrandt ou la célèbre Joconde – représentée avec une bouche en bec de canard.

Mais cela a-t-il à voir avec un sentiment esthétique ? Nous serions alors en droit d'attendre du selfie qu'il nous procure de l'émotion. À l'exemple d'une symphonie de Beethoven, de la puissance vibrante d'un concerto de Rachmaninov, d'un Impromptu de Schubert ou de la délicatesse enjouée d'une mélodie de Satie. À l'exemple du *Cri* de Munch, qui nous saisit aux tripes, d'une simple esquisse au crayon de Giacometti ou encore d'un tableau de l'« existentialiste » Bacon, dont toute l'œuvre n'est qu'émotion mise en pinceau.

---

1. http://academyartunews.com/newspaper/2015/04/selfie_vs_-self-port.html.

L'art cependant n'est pas toujours lié au sentiment esthétique. *Fontaine*, l'urinoir renversé de Marcel Duchamp, présenté à la première exposition de la Société des artistes indépendants de New York en 1917, en est une belle illustration. Et les nombreux traités qui viennent étayer les «actes picturaux», à l'exemple de ceux de Kasimir Malevitch, auteur de *Carré noir sur fond blanc* (1915) ou encore de *Carré blanc sur fond blanc* (1918), sont venus étayer un changement radical de la définition traditionnelle de l'art porteur d'émotion.

Le «self art» semble s'inscrire dans cette dynamique : il ne cherche pas nécessairement, peut-on observer, à produire du «beau», mais plutôt à dénoncer une certaine vision du réel, une certaine approche de l'image de soi, à «rendre visible», au sens que donne à ce terme Merleau-Ponty[1] qui ne fait pas de l'invisible le contraire du visible mais le situe dans sa profondeur. Il le fait dans un contexte où l'image a acquis un statut privilégié.

L'inanité de l'image

«Aujourd'hui, la culture de l'image occupe, dans la vie quotidienne, une place qu'elle n'a jamais eue dans le passé ; et surtout nous ne la considérons plus sous la même face», explique le philosophe Henri Maldiney dans *L'Art, l'éclair de l'Être*, après avoir analysé la place et le sens de l'image

---

1. Maurice Merleau-Ponty, *L'Œil et l'Esprit*, Paris, Gallimard, 1960.

dans l'histoire de l'art. Et d'ajouter comme un glas : « Dans les sociétés primitives la *puissance de l'image* était de l'ordre de l'être. Dans la société contemporaine, le *pouvoir des images* est de l'ordre de l'avoir. La photographie, le cinéma, la télévision établissent le principal rapport "médiatique" de l'homme aux autres, aux choses, à soi[1]. »

Nous assistons, passifs, nous l'avons vu, à la transformation du désir en besoin : là où le désir est ce qui s'exprime, est ce qui se dit, le besoin s'impose. Là où le désir ouvre sur le sens, le besoin le paralyse. Ainsi en est-il de l'image contemporaine qui a perdu sa possible fonction d'espace de désir pour le transformer en besoin. L'image publicitaire en est une illustration : l'objet réel n'est là qu'au profit de sa seule représentation. « On voit évoluer sur l'écran des êtres dont la libre disposition d'eux-mêmes, "à leur seul désir", est affranchie de toute résistance réelle. Dans le défilé de ces images, le spectateur vit par projection son désir[2]… » Ainsi, si cette image hypermoderne est non interprétable, privée de sens, en revanche, elle conserve une fonction : elle transforme le désir en besoin. Par cette fonction, elle a une utilité réelle et sociale majeure.

Cette « utilité » de l'image hypermoderne entre cependant en contradiction avec la notion d'« œuvre d'art » qui elle, est à proprement parler « inutile », elle n'a pas d'autre fonction que le fait d'être.

Or, cette inutilité n'est pas le cas des images selfiques. Sans remettre en cause la possible intention « artistique », il

---

1. Henri Maldiney, *L'Art, l'éclair de l'Être*, Paris, Cerf, 2012, p. 217.
2. *Ibid.*, p. 218.

semble difficile de concevoir un selfie comme une « œuvre d'art » à part entière, et ce n'est pas parce qu'il s'expose qu'il fait « œuvre » pour autant.

S'il fallait tout de même le considérer comme telle, le selfie ne pourrait entrer que dans la catégorie de l'hyper-réalisme. Ce courant artistique des années 1970 est la mise en œuvre dans la peinture d'un réalisme qui s'identi-fie à la photographie (aux États-Unis on parle par exemple de *photorealism*). Ses représentants, David Mauro, Gérard Schlosser ou Serge Lemonde, cherchent à reproduire une image à l'identique, à tel point que le spectateur en vienne à douter s'il a devant lui une photo ou une peinture. Pour éviter l'éruption de toute émotion, car l'hyperréalisme recherche précisément l'anesthésie affective, la neutralité émotionnelle, ils se servent comme support de photogra-phies, qu'ils reportent sur la Toile grâce à un rétroprojec-teur : une mise en abîme ou en miroir qui n'est pas sans évoquer celle du selfie. Leur but n'est pas de dénoncer le réel, simplement de le re-présenter dans la plus froide indifférence – on est très loin de l'émotion esthétique !

Alors que la photo d'art cherche à s'éloigner du réel, si l'on considère par exemple les selfies que le Tumblr *Dis magazine* propose à n'importe qui d'« exposer » sur le Net[1] – le « mur » servant de mur d'exposition et l'écran de cadre d'affichage –, on se trouve devant de nombreuses scènes de la vie quoti-dienne et, même lorsqu'il y a recherche d'originalité, le selfie ne s'affranchit pas de cette part de réalité.

---

1. Sur #artSelfie.com.

Self'art : quand les selfies s'exposent

Et pourtant, en janvier 2015, le musée d'art contemporain de Salzbourg a consacré au selfie une exposition destinée
à montrer son caractère ludique, mais aussi « artistique ». Et
l'idée, en fait, n'est pas nouvelle. Une exposition baptisée
« National Selfie Gallery » a déjà eu lieu à Londres en
octobre 2013 lors de laquelle vingt artistes ont été invités à
décliner le thème de l'autoportrait. À la même époque, la
Biennale d'art contemporain de Lyon accueillait la performance originale d'un homme qui se photographiait tout en
se déshabillant progressivement dans les couloirs de l'exposition et, à l'Imperial Museum de Manchester, deux artistes
exposaient un photomontage de Tony Blair prenant un selfie
devant un champ de pétrole irakien en flammes – une image
controversée qui a assuré le succès de son exposition sur l'art
moderne et la guerre ! Les selfies sont même les bienvenus
dans les musées (pas toujours !) : en décembre 2013, à New
York, les spectateurs de l'installation de Yayoi Kusama
étaient invités à se prendre en photo ; à Pittsburgh, le musée
consacré à Andy Warhol – dont les autoportraits peuvent
être considérés comme les ancêtres des selfies – propose également aux visiteurs de prendre des selfies et de les poster
avec le hashtag #WharholSelfie. Le 22 janvier 2014, Marc
Dixon et CultureTheme ont même organisé la première
journée mondiale dédiée au « selfie » dans le musée : les internautes devaient partager leurs selfies pris dans des musées sur
Twitter en utilisant le hastag #MuseumSelfie. Des musées

du monde entier (France, Russie, Afrique du Sud, États-Unis…) y ont participé. Enfin, en mars 2015, s'est ouvert à Manille, aux Philippines, à l'Art in Island Museum, une aile entière réservée aux selfies, véritable musée du selfie…

Le phénomène ne cesse de se développer. Pour autant, le selfie n'est pas encore une forme d'art universellement reconnue. Et cela pour une raison simple : l'unicité. Alors que l'objet peut se démultiplier à l'infini, une œuvre d'art reste un modèle unique – c'est ce qui fait la différence entre un artisan et un artiste. En ce sens, produire un selfie n'est pas produire une « œuvre » en tant qu'il reste « objet », attaché à la matérialité de l'appareil, démultipliable, utilisable.

Dans son usage « artistisant » (et non pas artistique), le selfie ne reste que pur produit marketing, comme en atteste cette « performance » lancée le 15 octobre 2015 à Londres par un éditeur d'art en ligne : « Pour célébrer l'art dans l'âge du selfie, nous lançons une compétition de #ArtOfTheSelfie. Partagez vos selfies les plus imaginatifs et ayez la chance de gagner 500 £, une édition spéciale de l'impression de votre travail et des prix fantastiques de la ArtFund et la National Portrait Gallery. » Pour y participer, c'est simple : il suffit de se photographier avec une peinture ; ensuite publier le selfie sur Instagram, Twitter ou Facebook suivi du #artoftheselfiekingandmcgaw. Le self'art détourné au profit du self'commerce : les cinq cents livres du prix sont offerts en bons d'achat sur le site… Nous sommes encore loin du néo-autoportrait…

Les selfies movies

Qu'en sera-t-il des prochaines inventions qui vont améliorer encore les performances de nos smartphones en matière d'images – et les troubles de l'image de soi ? Steeve Jobs, avant de nous quitter (et de quitter Apple), annonçait, tel un prophète en ses terres virtuelles, qu'il ne laissait pas le monde sans rien puisqu'il avait prévu dix années d'innovations technologiques. De quoi rassurer ses adeptes, accros aux dernières avancées.

Avec l'iPhone 6s, il est déjà possible de prendre des GIF, ces photos qui s'animent quelques secondes... Alors que l'espace se décompose, les photos s'animent. Elles deviennent de véritables petits films, très courts, des captures d'instants. Là encore, on peut être stupéfait, non par les possibilités accrues de la technique (il est indéniable que Steeve Jobs va encore continuer à nous inspirer de l'étonnement), mais par l'utilisation que l'on fait du réel : une utilisation détournée. Les GIF – non pas conçus comme œuvre, mais comme « objet » du réel – peuvent être comparés à ce que Cézanne exprimait déjà à propos de l'art qui veut « rendre visible l'activité organisatrice du percevoir ». Le contenu de l'image devient secondaire par rapport au « contenu de création » : dans le GIF, il s'agit du *mouvement.* Le GIF exprime la condensation de l'espace-temps en une prise, en une image : un objet hybride – ni tout à fait image, ni tout à fait film – qui traduit à la fois la domination de l'immédiat connectique et de l'espace horizontal, le tout se rapportant à la seule perception et non à l'interprétation.

Dans *L'Image mouvement*, qu'il a consacré au cinéma contemporain, Gilles Deleuze a analysé l'écart entre l'image-perception et l'image-action (réaction) dans l'univers incurvé de l'image-mouvement : « Par l'incurvation, les choses perçues me tendent leur face utilisable, en même temps que ma réaction retardée, devenue action, apprend à les utiliser[1]. » Désormais, plus d'écart, le monde saute à la face du sujet. On dépasse la notion d'image entendue comme *eidôlon*, pour se rapprocher de ces *eidôla*, images au pluriel, chères à Épicure, qui désignaient l'impact des fines enveloppes d'atomes émanées de la surface des objets et qui nous les font voir en pénétrant dans nos yeux. Le monde hypermoderne à travers l'image selfique devient *eidôla*, fragmentation du réel qui pénètre nos rétines.

Ainsi, le selfie modifie notre perception du réel. Comme l'acte pictural hyperréaliste, il ne cherche plus à « rendre visible » : il crée les conditions de visibilité. Le selfie GIF, en particulier, c'est l'œil de la réalité. Autrement dit, ce n'est plus la réalité qui inspire l'appareil photo mais l'appareil photo-téléphone-connecté qui la crée et la restitue par l'image. Ce n'est plus l'œil de l'homme qui tente de rendre compte de sa vision du réel ; mais l'œil de la *camera*, de la technique, qui organise la vue et réinvente le réel qui va avec.

Si bien que le processus de création s'est inversé : il n'y a plus un objet, une œuvre et deux réalités (celle dont nous

---

1. *L'Image mouvement*, Paris, Éditions de Minuit, 2010.

faisons l'expérience et celle qui est représentée dans l'œuvre), mais une image qui combine à elle seule toutes les réalités (réelle et virtuelle), toutes les temporalités (le *hic et nunc*) en les réduisant au seul cadre qu'elle propose : une image-action de quelques secondes, qui ne raconte pas d'histoire, qui ne cherche pas forcément à susciter une émotion, mais qui dicte à la réalité ses lois. Le selfie recrée le réel.

Le selfie comme trompe-l'œil

Ce qu'il y a peut-être de plus troublant cependant dans le rapport de l'art au selfie, c'est son côté « trompe-l'œil ». Le selfie cherche à donner à voir le réel, mais au cœur même du virtuel. De plus, il transmet une image de soi très singulière où l'on ne cherche pas nécessairement à être sincère ni à dire la « vérité » sur soi. On cherche plutôt à se montrer sous un aspect particulier : trash, faussement naturel ou carrément factice… Le selfie tente une opération artistique où il est question de « tromper l'œil » d'autrui, en lui donnant à voir une réalité qui est celle du virtuel.

Rappelons qu'un trompe-l'œil, c'est la reproduction quasi exacte du réel, jusqu'à abuser le spectateur qui ne sait plus les différencier. On rapporte que Giotto, encore jeune, avait peint une mouche si ressemblante dans l'atelier de son maître, que celui-ci chercha à plusieurs reprises à la chasser. On touche là l'un des paradoxes de l'esthétique réaliste qui fait de la Nature le modèle, et de l'art sa copie.

Avec le trompe-l'œil, la vérité supposée du réel vient se confondre avec l'illusion supposée de l'œuvre. C'est le même jeu de vérité et de mensonge qui est à l'œuvre dans l'hyperréalisme. Et même s'il est toujours délicat de parler de « vérité » à propos de l'art (en tant que la vérité, comme valeur logique, s'entend comme un jugement et qu'une œuvre d'art n'est pas un jugement dans le sens où elle ne saurait être ni vraie ni fausse), on peut s'interroger à propos de la valeur artistique du trompe-l'œil qui cherche à « duper » le spectateur sans lui procurer aucune émotion.

Du moins jusqu'à présent. Car le trompe-l'œil est en pleine révolution, grâce au selfie notamment. À Manille, aux Philippines, qualifiée de « capitale mondiale du selfie » d'après une enquête du magazine *Time*, il devient, dans la partie du musée Art in Island dédiée aux selfies interactifs dont j'ai déjà parlé, possible d'entrer dans la reconstitution 3D d'un chef-d'œuvre et de s'y photographier[1] : on « entre » littéralement dans la Toile virtuelle et on fixe l'image par une photo. Ainsi, l'œuvre n'est véritablement complétée, achevée, finalisée que par la présence du spectateur – et la photographie, souvent un selfie.

C'est une façon extrêmement ludique de contribuer soi-même à l'œuvre. On peut y voir à l'extrême une façon de dire que ce que nous sommes – notre « moi » (réel ? ou digital ?) – « œuvre » au même titre qu'un tableau et même davantage. Toujours est-il que le trompe-l'œil à l'heure du virtuel a de l'avenir devant lui !

---

1. Guillaume Hamonic, http://www.lefigaro.fr/arts-expositions /2015/03/24/03015-20150324ARTFIG00228-le-premier-musee-a-selfie-ouvre-a-manille.php.

De l'image à l'icône : le visage sacralisé

J'ai déjà parlé du passage de l'*eidôlon* à celui de l'*eikôn*, notamment en ce qui concerne le selfbranding ou l'auto-promotion de soi, et insisté sur l'importance du visage d'un point de vue symbolique ; mais on peut aussi réfléchir quelques instants sur le nouveau statut d'icône virtuelle du selfie : serait-il venu s'imposer comme nouvelle idole ?

Le statut d'icône (*eikôn*) dans l'art religieux est une question trop vaste pour l'aborder ici. Mais ce qui distingue l'art religieux, c'est qu'il porte en lui le caractère du sacré et tente d'exprimer une transcendance. Il est aussi marqué par la recherche de l'*adoration*.

L'art peut aussi s'envisager comme une sorte d'adoration – bien qu'il convienne de rappeler que toute forme d'adoration qui n'a pas Dieu pour objet s'appelle *idolâtrie*. C'est une façon de lui accorder une dimension quasi divine. On en finit par adorer l'homme à travers l'art, et cela se révèle d'autant plus vrai avec un selfie. On en arrive très vite à la notion de ce qui peut prétendre au statut d'icône. Comme le note André Gunthert, le seul critère contemporain de l'icône, c'est l'« attention médiatique ». Il rappelle aussi que le selfie est une valeur cardinale pour notre époque. Ainsi avons-nous créé une nouvelle forme d'icône, une « icône médiatique » qui a perdu sa prétention à la transcendance et se construit à plusieurs. Tout comme les icônes religieuses, l'icône médiatique et virtuelle consacre le visage comme symbole d'une singularité et d'une identité – et il n'est pas inutile de s'interroger sur la « sacralisa-tion » qu'implique le culte du visage véhiculé par le selfie.

Si Hegel évoquait « la mort de l'art », ne serait-il pas juste au fond, aujourd'hui, d'imaginer que nous sommes dans une « Renaissance » propre à l'art moderne et contempo-rain, notamment lorsqu'il s'associe aux nouvelles techno-logies ?

8

Une révolution éthique

Le moi dans tous ses avatars

Le stade du selfie marque une nouvelle façon pour le sujet d'exister dans le monde à l'heure de la réalité augmentée par la virtualité. On a vu que toutes les révolutions (technologique, humaine, culturelle, esthétique, sociale…) qu'il a subies ont eu pour répercussion de métamorphoser le moi. On a vu que, déjà remis en question avec la découverte de l'inconscient, il est à nouveau interrogé : nous devons désormais compter avec ses avatars et avec cette part augmentée de soi que j'ai appelée le *soi digital*.

Ces bouleversements, qui n'en sont peut-être qu'à leurs balbutiements, impliquent de réfléchir profondément à leurs possibles conséquences sur nos modes d'être et nos comportements. C'est là que nous avons précisément besoin de convoquer l'éthique.

L'éthique, cette partie de la philosophie qui se veut pratique, cherche à « penser » nos conduites, vise à établir des règles et des principes qui nous permettent d'agir. Elle nous engage à considérer aussi le sens que nous voulons donner au *vivre-ensemble*.

L'altérisme : *réinvention du lien*

Ce qui a déstabilisé le sujet, parmi d'autres facteurs, c'est donc l'arrivée d'une réalité virtuelle qui a donné naissance à cette nouvelle forme de sujet virtuel, l'«avatar», qui est comme un miroir (plus ou moins déformant) du sujet réel. Il est difficile à présent de chercher à se définir sans en tenir compte : le sujet hypermoderne est celui qui combine un moi conscient, un inconscient et un soi digital. Il a intégré le virtuel dans ses modes d'être et de comportement. Pour restaurer sa subjectivité mise à mal, il s'agit maintenant d'intégrer le soi digital à la fonction de sujet. Cela implique une redéfinition qui intègre désormais la dimension virtuelle.

Toutefois, cela ne peut se faire sans tenir compte de la présence des *autres* (que leur présence soit réelle ou virtuelle). C'est peut-être ce qui, au fond, pose le plus de problèmes à l'ère du numérique : le sentiment d'avoir perdu la profondeur du lien humain réel. Ce n'est pas tant que nous n'avons plus de contacts réels avec les autres, mais que ce lien s'est considérablement modifié, peut-être même appauvri alors même que se développaient les liens virtuels (que j'ai qualifiés de *nexus*).

En plongeant dans le virtuel, nous avons eu l'impression d'une «perte de quelque chose» de «plus» humain, de «plus» vrai. D'où l'émergence d'une opposition entre le réel et le virtuel. Pourtant, opposer les deux réalités ne semble pas pertinent. Tout comme Platon qui distinguait le monde sensible du monde intelligible mais rappelait qu'il s'agit d'un seul et même monde, peut-être serait-il plus raisonnable de les accueillir simultanément, en acceptant définitivement de vivre à l'époque d'une réalité augmentée par le virtuel.

Il s'agit également d'admettre que nous nous transformons peu à peu. Pas seulement sur le plan physique – mais aussi social, psychique, individuel, culturel… Que cette transformation nous inquiète, nous trouble, nous effraie ou nous attire et nous fascine, peu importe : il nous semble fondamental de commencer par l'accepter. Mais aussi, dans le même temps, de la penser. Une chose importe : ce sentiment de « perte » du lien réel et profond à l'autre – que ce soit une réalité ou une interprétation – nous invite à le revisiter, et peut-être même à le refonder.

Le sacre de l'individualisme a plongé notre époque contemporaine dans une immanence angoissante. L'image existentialiste de l'homme comme un « être-jeté » dans le monde, évoquée en ce début de XXe siècle, serait une belle illustration de ce que nous ressentons : un « être-jeté », c'est-à-dire sans « lien » qui puisse le rattacher à quelque chose ou à quelqu'un, « seul » dans l'univers, sans rien qui le retienne dans l'existence, responsable de son fondement et de sa liberté, prisonnier de la seule chose qui le ramène à lui-même : son angoisse.

À l'heure d'Internet, cet « être-jeté » n'a pourtant plus de sens puisqu'il est en « lien » – connecté – en permanence : nous ne sommes plus des « êtres-jetés », mais des « êtres-connectés ».

Il me semble que cette contradiction est encore le signe que nous vivons une véritable mutation, dont les fondements sont encore en construction. Cette mutation est d'abord *celle du lien*. Non pas le lien évident qu'on appelle *altérité* – et qui sur les réseaux sociaux a du mal à tenir dans sa définition classique. Non pas le *nexus* des réseaux mais une nouvelle forme de lien qui rassemble notre présence réelle et notre présence virtuelle ; un lien qui appelle à traverser les écrans et à aller à la rencontre des autres. Un lien qui prend vie dans le virtuel et qui s'éprouve dans le réel. Un lien qui se tisse entre le *je* et le *tu* et qui fonde le *nous*. Le lien de la communauté humaine qui nous transcende depuis que nous sommes entrés dans la mondialisation. Un lien qui prend la forme de l'*inter*-culturalité, celui du mélange des différences (sociales, culturelles, religieuses…), de l'économie du partage, du bien vivre-ensemble, dans le réel comme dans le virtuel…

Ce lien est de fait *lien d'humanité*. Mais une humanité qui demande elle aussi à être redéfinie, au vu des bouleversements induits par les nouveaux paradigmes. Une humanité qui évolue en permanence et qui ne cesse de s'interroger sur son devenir. Une humanité en marche avec la mondialisation et la globalisation. Une humanité qui transcende l'hyper-individu et lui permette de retrouver du sens. Une humanité riche de ses enfants, dont le devoir numéro un sera de construire ce lien de demain, de lui donner chair, vie et sens.

Ce lien inédit d'humanité ne consiste pas seulement à reconnaître l'Autre dans sa différence, son abstraction ou sa matérialité ; il englobe la relation elle-même. C'est pourquoi je proposerais le néologisme d'*altérisme* pour le caractériser et le distinguer de la seule *altérité*.

Qu'on le veuille ou non, l'Humanité, je l'ai dit, est *transcendance*. Ainsi, l'*altérisme* serait la caractéristique de cette nouvelle forme de transcendance qui porte à bout de bras nos sociétés contemporaines, qui dessine le profil de notre monde emporté par la révolution numérique. Le monde change, et ce n'est désormais qu'ensemble que nous pourrons le maintenir debout. Retrouver le sens de l'*altérisme*, c'est poser les principes de nouvelles valeurs communes qui pourront aussi nous maintenir dans le vivant.

Cela appelle donc à un nouvel humanisme, un humanisme numérique, un humanisme 2.0.

Un humanisme 2.0

L'Humanisme tel qu'il a émergé en Europe, au XVIe siècle, reposait sur trois fondements :

– un retour aux anciens et la recherche de nouveaux modèles, notamment chez les auteurs de l'Antiquité grecque et latine ;

– une nouvelle définition de l'homme : c'est à cette époque, on l'a vu, qu'apparaît la notion de « sujet » – l'homme se trouve alors au centre du monde et maîtrise son environnement, notamment grâce aux avancées technoscientifiques, on passe d'un théocentrisme à un anthropocentrisme ;

– et enfin la définition de nouvelles valeurs fondées sur l'étude des humanités qui donnent naissance à « l'honnête homme », avec à la clef un nouvel axe politique basé sur la justice et la modération, défendu par des penseurs comme Jean Bodin, favorable à la tolérance et à la liberté individuelle.

Pour donner du sens à l'humanisme 2.0., nous pouvons procéder par analogie et reprendre ces trois fondements en les adaptant au contexte d'aujourd'hui :

– revenir aux anciens et à leur sagesse pour trouver de nouveaux modèles, c'est-à-dire, pour nous, se tourner du côté des Lumières et repenser leur héritage à l'aune de notre contemporanéité (pourquoi ne pas établir un nouveau *Contrat social* ?) ;

– ensuite, apporter une nouvelle définition de l'homme en tenant compte des nouvelles technologies, aussi bien au niveau physiologique (l'homme augmenté) qu'au niveau psychologique et social (l'impact du virtuel). Cela nous amènera à une seconde re-naissance du sujet. L'homme désormais n'est plus seulement celui qui maîtrise son environnement et le monde, mais aussi celui qui se lance à la conquête de l'espace et place l'infini à portée de main. On est passé d'un anthropocentrisme à un technocentrisme où l'homme apparaît désormais comme un « défenseur » de la nature ;

– enfin, la définition de nouvelles valeurs fondées sur l'étude de l'Humanité 2.0 et de « l'homme augmenté ». Bien évidemment, cela implique également une redéfinition de la politique et de la démocratie où la différence et la créativité seront au cœur de la délibération publique (à quand un vote sur Internet, depuis chez soi ?).

Après l'humanisme religieux et laïque, nous entrons à présent dans l'humanisme numérique. En 1979, Levinas avait prédit : « L'avenir, c'est l'autre. La relation avec l'avenir, c'est la relation même avec l'autre. » Transformons, dans un effort commun, la seule et trop souvent indifférente altérité en *altérisme*.

Des limites : réhabilitation d'une self'éthique

La virtualité repousse toujours plus loin les limites du progrès technique. Et j'ai dénombré déjà plusieurs effets pervers de cette révolution numérique. Comme il est vain et inutile de rejeter une technologie que nous maîtrisons, le dernier garde-fou qu'il nous reste est l'éthique.

L'éthique nous permet de « penser » nos actes, c'est-à-dire de développer un esprit critique et de « lever la tête » du guidon de nos habitudes afin de chercher à savoir si le chemin qu'on emprunte est le bon.

Nous sommes tellement pris dans le tourbillon technoscientifique qu'il n'est plus possible de faire machine arrière. Mais cela n'empêche pas de *penser* ce progrès. Cela n'empêche pas de se questionner sur notre manière de le vivre. Nous avons encore trop peu de recul sur les effets pervers de ces nouvelles technologies mais si l'impact qu'elles peuvent avoir sur notre santé ou encore sur notre bonheur est difficile à mesurer, nous pouvons déjà observer la modification de nos comportements sociaux et individuels, les changements qu'elle induit dans notre vision du monde et de l'existence en général.

En décembre 2015, une étude a été publiée pour dénoncer les dangers d'une surexposition des jeunes enfants aux tablettes numériques. Sabine Duflo, psychologue, a rédigé une tribune dans *Le Monde* dans laquelle elle met en garde les parents. Elle estime que, « de la naissance à la fin de la maternelle », lorsqu'un enfant est exposé six à sept heures par jour aux écrans (tablette, téléphone, télévision), et que son approche du monde se fait par ce biais (c'est-à-dire par une réalité virtuelle), il risque de développer des retards cognitifs importants : retards de langage, troubles de l'attention, et une impulsivité mal maîtrisée. Ce sont les conséquences du passage du *logos* à l'*eidôlon*, avec la disparition du langage au profit de l'image, et de la précipitation du temps dans notre monde *hic et nunc*. Les images qui défilent donnent l'illusion d'un mouvement permanent, d'une multiplication d'actions, d'une urgence perpétuelle. L'enfant n'a pas le temps d'acquérir la notion de temporalité qu'il est déjà embarqué dans celle induite par la virtualité.

« Lorsque […] je propose aux parents une diminution, voire un arrêt total de cet outil [l'écran], deux à trois semaines plus tard, on observe des redémarrages », précise cependant la psychologue, pour qui cette problématique est digne d'un « enjeu de santé publique, parce que les prémices de la communication, du langage, du rapport à l'autre se mettent en place très tôt. Si l'on met un enfant face à un outil qui nuit à des émergences essentielles à son développement, on se retrouve avec des enfants en difficulté en primaire[1] ». Nous avons donc la possibilité d'arrêter ce processus, mais la vraie

---

1. http://www.lemonde.fr/sciences/article/2015/09/14/les-tablettes-a-eloigner-des-enfants_4756882_1650684.html.

question, c'est : comment, nous parents, en sommes venus là ? Au point de déléguer notre rôle d'éducateur à Internet ? de perdre tout bon sens ? Rappelons que récemment les médias ont jugé nécessaire de dire aux parents qu'il ne fallait pas mettre des écouteurs dans les oreilles des bébés pour les endormir, au risque de les rendre sourds ! La réalité est là : un nourrisson sur dix s'endort avec des écouteurs dans les oreilles !

Nous avons à ce point perdu notre bon sens (encore une conséquence de cette perte de *logos*) et notre esprit critique que trop souvent nous nous contentons d'agir sans plus réfléchir. La paralysie de l'esprit et la moutonnerie mimétique sont des effets pervers de cette révolution numérique : c'est ainsi que les parents ont tellement pris l'habitude de vivre avec ces écrans, qu'ils n'imaginent même plus que cela puisse être nocif pour leurs enfants.

Ce n'est pas à Internet qu'il faut s'en prendre, mais à nous. Comme Internet fait désormais partie intégrante de notre environnement, et que nous ne pouvons rien y changer, plutôt que de se contenter de subir certains de ses effets pervers sans en avoir réellement conscience, érigeons des règles qui seraient un « garde-fou » contre l'hypervirtualité – dans lesquelles seraient, par exemple, englobées celles d'une bonne utilisation des selfies. Une telle éthique doit nous permettre de retrouver la *mésotès* d'Aristote, la « juste mesure ». Entre deux excès, préconise le philosophe, attachons-nous à choisir le juste milieu. De même, il invite à la *prudence*.

Il ne semble pas, *a priori*, très compliqué d'établir un code de la virtualité qui serait celui de la juste mesure et de la prudence. Au contraire, il permettrait d'apprécier ce que le monde virtuel a de meilleur à nous offrir tout en préservant ce qu'il y a de plus humain en nous. Ce serait donc en même temps une *self*-éthique, une éthique du virtuel, une éthique de soi et non pour soi.

Ce qu'aimer veut dire...

Le problème, en réalité, c'est toujours l'amour. Et encore quand on parle d'altérisme. On peut tourner dans tous les sens, au final, on en revient toujours à lui : l'amour de la vie, l'amour de nos parents, celui de nos enfants... l'amour de Dieu, l'amour de l'argent, l'amour de la gloire, l'amour de soi, l'amour de l'autre, l'amour de la reconnaissance, l'amour de la politique, l'amour de la guerre – celui de la paix... Et la solution, c'est toujours l'amour : qu'il se présente dans un lit, sur un divan, sous la flèche de Cupidon, sous les traits d'Éros, dans les églises, dans les mosquées, dans les temples, dans les synagogues, dans nos mairies, dans nos maisons, chez le boucher ou sur nos écrans, à la terrasse d'un café ou à l'ombre d'un marronnier, en automne ou en été. La solution, c'est toujours l'amour.

Or, le problème de l'amour, c'est le désir. Et le problème du désir, c'est le manque. Le manque dans ce qu'il a d'ontologique, d'incomplétude constitutive du sujet, le manque qui ne peut être rassasié. Il faut accepter d'emblée cette donnée du jeu existentiel : aimer, c'est manquer.

Manquer, c'est se manquer soi-même, dans la mesure où

on ne parvient jamais totalement à coller à soi. Nous évoluons dans le drame constant de notre insincérité[1].

Manquer, c'est manquer l'autre dans la mesure où l'on ne pourra jamais réduire la distance inéluctable qui sépare le *je* du *tu* : c'est surtout cela la « différence ».

Manquer, c'est désirer dans la mesure où le propre du désir est d'exister comme une tension tant qu'il ne parvient pas à satisfaction. Une fois satisfait par l'embrasement de son objet, le désir disparaît.

Manquer, c'est aussi souffrir dans la mesure où le manque est une sorte de « trou d'être », une fêlure à l'intérieur de soi que l'on chercherait *vainement* à combler toute sa vie.

Aimer, donc, c'est manquer. Et, comme il est impossible de traverser l'existence sans aimer, il est impossible de vivre sans éprouver ce manque et la souffrance qui va avec. On réagit tous différemment à cette souffrance : certains développent du polyamour ; d'autres préfèrent l'isolement et la solitude par peur de prendre le risque d'une « relation » ; d'autres, enfin, acceptent de tout perdre plutôt que de « s'engager » dans un avenir qui ne se présente plus à eux ; chacun se protège comme il peut des angoisses d'abandon et de rejet.

Les changements de paradigmes ont aussi modifié nos relations amoureuses. L'heure n'est plus au couple au sens courant et classique du terme, à savoir deux personnes qui vivent ensemble, qui s'engagent dans la durée (cela impliquerait une conception traditionnelle de l'espace et du

---

1. Elsa Godart, *La Sincérité, ce que l'on dit, ce que l'on est, op. cit.*

temps), qui nouent un pacte réel ou symbolique (cela implique un sens chargé de *logos*, qu'il s'agisse d'un pacte oral, écrit ou institutionnel). Le passage à un monde *hic et nunc* aussi implique l'urgence, la consommation rapide, la volonté d'être satisfait avant même que ne surgisse le désir. De même le règne de l'*eidôlon* s'impose dans l'offre virtuelle, tellement exponentielle que le choix devient impossible. Alors, on consomme de la relation, du sexe, de l'autre avec indifférence, il est très dur d'accéder à un réel émerveillement.

Tinder est une application qui permet de faire défiler les profils de ses utilisateurs selon le sexe et la position géographique, et de sélectionner ceux qu'on apprécie : lorsque l'attraction est réciproque, les deux utilisateurs sont mis en relation. Récemment, le développeur a ajouté une fonctionnalité : on peut même programmer un déplacement à l'avance. En un clic, à côté de chez moi – dans un espace et un temps rassemblés –, l'autre surgit, aussi vite qu'il disparaîtra. On le consomme à la terrasse d'un café ou sur le bord d'un canapé. Puis, on change de produit.

Mais quel goût dans cette relation ? Quel goût pour cette jouissance éphémère qui ne porte en elle que la faible saveur du plaisir ?

Au fond, ce que l'on a perdu dans ces changements de paradigmes, c'est aussi l'engagement. L'engagement est un enracinement dans les mots et dans les actes. L'engagement est aussi un renoncement, à toute autre forme de choix. Loin d'être un emprisonnement, il est l'expression de notre liberté : seuls les sujets libres peuvent décider de renoncer à une part de liberté pour s'engager. Mais sans les mots, sans le sens, sans la possibilité de l'avenir et d'un espace pour le contenir, il n'est plus possible de s'engager. Quelle valeur dès lors accorder à la puissance d'un mot, à la confiance, à l'amour ? Comment « faire relation » si l'on ne fait plus preuve de constance en soi-même ? Comment accéder à la maternité, à la paternité, sans cet engagement avec soi ? À nouveau, nous retombons dans l'ère du vide auquel ne cesse de nous renvoyer, trop souvent, le virtuel.

Comment parvenir à aimer à nouveau, si on n'accepte pas l'engagement que constitue l'amour lui-même, à savoir la capacité à se construire sur un manque que nul ne pourra combler ? si on n'accepte pas de rencontrer l'autre dans un espace vertical et une durée indéterminée ? si on n'accepte pas de dessiner, de construire et d'écrire à deux *le sens* ?

Le selfie reste bien souvent un acte solitaire, où seul face à notre miroir nous contemplons le vide de notre subjectivité, où l'image qui nous est renvoyée est celle d'une absence d'altérité, où les manques à être ne cessent de se prolonger dans d'insoutenables mises en abîme. Pour que le stade du selfie ne soit qu'une étape vers le développement du sujet hypermoderne, acceptons de travailler ensemble pour donner un visage à nos liens humains, pour donner un nouveau sens à notre humanité.

Conclusion

La fin n'est que le début

Ce matin, alors que j'achève cet essai, j'ouvre ma page Facebook. Et là, je suis saisie d'effroi en apprenant le décès d'un de mes « amis », personne avec laquelle j'avais l'habitude d'échanger virtuellement des idées philosophiques et psychanalytiques. Je le pensais pour toujours là, dans le décor de mon mur, immuable. Cette personne, je ne l'ai jamais rencontrée, je ne lui ai jamais parlé, à peine ai-je su qu'elle était malade. J'ai appris son existence et sa mort sur Facebook. Sa réalité pour moi se réduisait à sa virtualité.

Pourtant deux choses viennent contredire cette première réaction. Deux choses qui amènent à retrouver de l'espoir et à continuer de créer des liens au-delà des écrans. Tout d'abord, la vie de cette personne était une réalité, tout comme l'est sa mort. Ensuite, mon sentiment, ce que j'ai éprouvé à l'annonce de sa « disparition » (au sens littéral), à savoir une sorte de tristesse, de surprise inattendue avec le sentiment que je ne m'étais pas assez intéressée à elle… tout cela n'est pas virtuel. Ce chagrin est d'autant plus vrai que l'idée que je ne verrai plus les *like* ou les commentaires de cet « ami » me bouleverse.

Cela rappelle combien le principe de vie et celui de lien est plus fort que tout le reste, plus fort que tout ce qui est factice, illusoire, virtuel. Ce lien humain est une transcendance en soi.

Je ne suis pas exempte des critiques que je formule, je participe à ce même monde et je suis une consommatrice – plus encore qu'une utilisatrice – aussi bien des réseaux sociaux que des selfies. Je suis la première à m'intéresser aux dernières technologies et à profiter de leurs bénéfices comme à subir leurs effets moins heureux. Mais, pour autant, il n'est pas question non plus de se laisser submerger par tout ce qui nous dépasse. Il ne dépend que de nous de faire en sorte que le monde soit à l'image de ce dont on aurait envie. Au fond si rien ne change, on finirait par croire que c'est parce que cela nous convient bien ! Moi, cela ne me convient pas vraiment.

Qu'il en soit de ma « naïveté lucide » ou de mon « amour inconditionnel pour le genre humain », j'aime à penser que tout est toujours possible du moment que l'on est en vie. J'aime à penser que rien n'est de l'ordre de la fatalité et que nous sommes toujours aux commandes de nos existences, de ce monde. Parce que nous demeurons toujours des *sujets* – libres et responsables.

N'oublions pas que si le monde a changé, c'est parce que *nous* l'avons changé (les nouvelles technologies ne sont pas tombées du ciel). Et, si nous sommes capables du pire, nous sommes aussi capables du meilleur. À une moindre échelle, je voudrais rappeler l'élan humain spontané que nous avons connu au lendemain des attentats de Paris du vendredi 13 novembre 2015 : avant même de comprendre, avant même de riposter, nous avons tous eu besoin, quels que soient notre couleur de peau, notre religion, notre athéisme, notre culture, notre âge, notre position sociale, de nous rappeler que nous étions des humains face à la barbarie. Nous avions besoin de nous *rassembler*. Et nous nous sommes tout naturellement tournés les uns vers les autres. C'est cela, la force de l'*altérisme*, de ce lien qui fait sens quand il n'y a plus de sens, de ce lien transcendant qui subsiste quand tout s'effondre, de cette force qui jaillit des profondeurs alors même qu'on ne croit plus en rien.

Dans ce livre, en partant des nouvelles technologies, j'ai tenté de rendre compte de l'évolution radicale qu'elles ont entraînée dans notre manière d'appréhender le monde, une évolution emblématiquement représentée par le « selfie » – cet *ego portrait* qui illustre aussi la crise de la subjectivité qui en est résultée et l'existence de notre moi virtuel. J'ai aussi voulu montrer qu'en intégrant pleinement le virtuel à notre quotidien – au lieu d'en avoir peur –, en acceptant d'associer ce moi virtuel à notre moi réel, nous pouvons poser les bases d'une re-naissance.

Au sentiment de désubjectivation, je voudrais répondre par la possibilité de resubjectiviser le sujet, c'est-à-dire la capacité pour le sujet moral de se réapproprier son intériorité, de retrouver un sens qui lui a fait perdre la tête, et surtout de faire en sorte qu'il puisse éprouver à nouveau la possibilité de sa liberté.

Pour le sujet psychologique, il est question de repenser à la fois le cadre des symptômes et celui de la thérapie. Les thérapeutes ont la responsabilité de tenir compte de ces avancées technologiques qui à la fois produisent de nouveaux symptômes et nous contraignent à modifier le cadre d'une cure. Continuer à pratiquer comme nous l'avons toujours fait depuis Freud n'est plus possible, car c'est refuser de tenir compte d'une réalité désormais incontournable.

Pour le sujet social, il s'agit de retrouver les liens fondateurs avec l'Autre, d'abonder vers cette nouvelle forme de transcendance qui à la fois nous rassure et nous maintient dans le vivant. Cela signifie être capable de traverser les écrans du virtuel pour susciter, créer avec audace, confiance et inspiration, un lien réel.

Enfin, pour le sujet politique, il s'agira, par le sens et la liberté retrouvés, par l'*altérisme*, de créer ensemble les valeurs d'un humanisme 2.0. Et pour cela, de ne plus faire des différences une contrainte, mais au contraire une force créatrice. De retrouver la dimension du langage et renouer avec la *methexis* chère aux Grecs. D'apprendre à nos enfants le sens du mot citoyen, dans la théorie et la pratique. Afin de combler le vide politique que nous connaissons actuellement et qui nous renvoie sans cesse à nos hyperindividualités.

Je voudrais aussi insister sur l'importance de constituer une instance éthique, une « éthique du virtuel ». Une instance capable de penser les répercussions sur l'humain des progrès techno-scientifiques. Et de poser les bases non pas d'une *bio*-éthique qui ne s'intéresserait qu'à l'impact des technologies sur le corps, mais d'une *self*-éthique qui serait le garde-fou de nos dérives aliénantes et de nos consommations exponentielles du virtuel. Une *self*-éthique qui préserverait la réalité de la virtualité, tout en l'intégrant.

Ce livre, est ma manière à moi, comme philosophe, comme psychanalyste, comme femme et comme mère, de résister à la férocité d'un monde dans lequel je ne me retrouve pas toujours. C'est ma proposition pour que ce monde, héritage de nos enfants, puisse continuer à avoir du sens : pour préserver un monde où *aimer* ne soit pas un vain mot, *être libre*, une utopie, mais déjà un engagement. N'oublions pas que le pire des dangers reste l'inertie.

Le stade du selfie marque une étape importante : il est l'expression d'une nouvelle *vision du monde*, désormais incontournable. Il marque aussi la naissance d'un sujet à réinventer en permanence à l'aube d'une nouvelle révolution.

Lexique

De manière à rendre compte des métamorphoses que nous rencontrons, j'ai été amenée à détourner, modifier, voire créer quelques concepts. Il n'est peut-être pas inutile de les reprendre ici :

Hic et nunc : conception accélérée de l'espace-temps. Avant l'arrivée du numérique, nous avions l'habitude de concevoir l'espace et le temps comme les deux axes d'un repère orthonormé dont l'un était l'abscisse et l'autre l'ordonnée. La réalité virtuelle est venue modifier cette perception et nous invite à concevoir l'espace-temps différemment, sous la forme de deux parallèles étroitement rapprochées qui rendent difficile le déploiement de l'existence.

Immédiat connectique : temps virtuel qui fait effraction dans notre quotidien, rendant compte d'une conception du temps dominée par le présent et la rapidité. C'est le temps du « clic » qui nous ouvre les portes du monde virtuel et nous entraîne à vivre dans la précipitation et dans l'urgence. C'est un temps dominé par le présent.

Espace horizontal : espace virtuel qui s'impose désormais dans notre quotidien. Alors que nous concevons l'espace en trois dimensions : horizontalité, verticalité et profondeur, l'écran réduit l'espace virtuel à deux dimensions, horizontale et verticale, sans rendre compte de la profondeur. Nous devons la « reconstituer » vrituellement, c'est ce que l'on nomme la 3D. Cette nouvelle perception de l'espace implique également que, désormais, le « lointain » est devenu « le proche ».

Eidôlon ou image éphémère : *eidôlon*, qui en grec signifie image, est ici employé dans le sens d'« image éphémère », qui rend compte d'un monde d'images défilant à toute vitesse sans qu'elles puissent être interprétées, non seulement parce qu'elle ne restent pas assez longtemps sur les écrans, mais aussi parce leur but n'est pas nécessairement de transmettre un contenu, mais simplement de donner à regarder. L'*eidôlon* est aussi l'expression d'un recul du discours rationnel (*logos*), qui a une incidence sur notre rapport au langage et donc à la « pensée ».

Objet-écran : le terme désigne les appareils connectés, dotés d'un écran, smartphones, mais aussi tablettes ou ordinateurs. Par ce terme, j'ai voulu rendre compte du rôle que peut prendre l'« objet » dans notre environnement, et plus particulièrement dans la relation au « sujet » : dans la mutation de la subjectivité entraînée par l'intrusion du virtuel, il devient intermédiaire incontournable entre moi et moi-même, dans la connaissance de soi. Ce n'est donc plus seulement « l'autre » en tant que sujet qui me permet de prendre conscience de moi-même (intersubjectivité), mais « l'objet-écran » qui fait office de lien entre le moi réel et le moi virtuel.

Réalité augmentée : réalité augmentée par la réalité virtuelle. Nous vivons les deux réalités dans le même temps et dans le même espace, en passant de l'une à l'autre, sur le même plan, ce qui peut créer des confusions et parfois estomper la limite entre le réel et le virtuel.

Nexus : liens virtuels qui nous lient aux autres, par exemple ceux que nous entretenons sur les réseaux sociaux avec nos « amis ». Ces liens peuvent devenir « réels », mais souvent restent cantonnés au virtuel. Ils ne garantissent pas une « rencontre » profonde avec l'autre et ne permettent pas nécessairement d'établir des liens de « véracité ». Ils sont le reflet de multiples « connexions », plus que de « rencontres ».

Moi virtuel : identité numérique, qu'il s'agisse d'un avatar sur jeu vidéo ou sur Bitstrips ou encore d'un profil Facebook ou Twitter.

Soi digital : résultat des métamorphoses (changement de perception du temps et de l'espace, impact des images éphémères, rapport à soi et à l'autre différents...) subies par le moi au contact de la réalité virtuelle et la combinaison du moi réel et du moi virtuel.

Hypersincérité : impossible sincérité du moi virtuel confronté à une recherche toujours croissante de transparence. C'est une sincérité factice, illusoire, dont la quête d'une image policée par certains politiques ou certaines stars est l'illustration parfaite.

Altérisme : dépassant le simple *nexus* (lien dans le virtuel), l'altérisme est une invitation à traverser les écrans et à susciter une rencontre avec l'autre marquée par l'engagement de soi. C'est un lien d'humanité qui demeure et subsiste au-delà de toute forme de virtualité ou de réalité. Mais c'est un lien qui demande à être redéfini, investi, approfondi, notamment par les nouvelles générations.

Humanisme numérique : après l'humanisme religieux et l'humanisme laïque, nouvelle philosophie qui nous invite à redéfinir notre vivre-ensemble en tentant compte de la place du virtuel dans nos existences.

Self éthique : éthique *de* soi (et non *pour* soi) qui permet de réfléchir à nos comportements virtuels, à notre vivre-ensemble virtuel, mais aussi à l'impact du virtuel dans nos comportements réels.

Subjectivité virtuelle : au moi virtuel correspond une « subjectivité » virtuelle, qui questionne notre place de « sujet virtuel » en lien avec le monde virtuel et les autres virtuels. Ce qui nous amène aussi à une « intersubjectivité virtuelle ».

Stade du selfie : moment où le sujet humain a basculé par le biais du numérique dans un nouveau rapport à lui-même et au monde, révolutionnant infiniment la perception de son environnement. Référence au « stade du miroir » de Lacan, dans lequel le sujet prend conscience de lui-même par l'intermédiaire du miroir ; le stade du selfie, c'est celui où le sujet virtuel se révèle, par l'intermédiaire de l'écran. Plus largement, le stade du selfie marque un tournant dans l'histoire du sujet, amené à se redéfinir par l'intrusion du virtuel.

Lexique

Onanisme selfique : jouissance de soi par soi, par l'intermédiaire de l'image. Le terme renvoie à l'idée que la jouissance ne passe plus forcément par la présence de l'autre et notamment de ce qui constitue son altérité, à savoir sa différence.

Bibliographie

ALLARD (Laurence), *Mythologie du portable*, Paris, Le Cavalier bleu, 2009.

ALLOA (Emmanuel), *Penser l'image*, Paris, Les Presses du réel, 2010.

ATTALI (Jacques), « La tyrannie de la transparence », *L'Express*, 25 novembre 2013.

AUBERT (Nicole), *Le Culte de l'urgence*, Paris, Flammarion, 2003.

BARTHES (Roland), « Rhétorique de l'image », *Communications*, 4, 1964.

BARTHES (Roland), *La Chambre claire*, Paris, Gallimard, 1980.

BARTHES (Roland), *L'Aventure sémiologique*, Paris, Seuil, 1985.

BAUDRILLARD (Jean), *Simulacres et Simulation*, Paris, Éditions Galilée, 1981.

BERGSON (Henri), *Essai sur les données immédiates de la conscience*, Paris, PUF, coll. « Quadrige », 1958.

BERKELEY (George), *Principes de la connaissance humaine*, I, 3, Paris, Flammarion, coll. « GF », 1993.

BESNIER (Jean-Michel), *Demain, les posthumains*, Paris, Fayard, 2010.

BOUVERESSE (Jacques), *Le Mythe de l'intériorité*, Paris, Éditions de Minuit, 1976.

CATALANO (Géraldine), « Le "selfie" ou le moi jeu », *L'Express*, 6 novembre 2013.

CERTEAU (Michel de), *L'Invention du quotidien*, tome 1 : *Arts de faire* (1980), Paris, Gallimard, 1990.

CHABOT (Pascal), *ChatBot, le robot*, Paris, PUF, 2016.

CNIL, « La mort numérique ou l'éternité virtuelle : que deviennent vos données ? », octobre 2014.

CUES (Nicolas de), *De visione Dei sive de icona*, trad. de A. Minazzoli, Paris, Cerf, 1986.

DAGOGNET (François), *La Philosophie de l'image*, Paris, Vrin, 1986.

DEBORD (Guy), *La Société du spectacle*, Paris, Gallimard, coll. « Folio », 1992.

DELEUZE (Gilles), *L'Image mouvement*, Paris, Éditions de Minuit, coll. « Critique », 1983.

DELEUZE (Gilles), *L'Image temps*, Paris, Éditions de Minuit, coll. « Critique », 1985.

DIXSAUT (Monique), « Platon, Nietzsche et les images », Éditions universitaires de Dijon, philopsis.fr.

DUFLO (Colas), *Jouer et Philosopher*, Paris, PUF, 1997.

DUFLO (Colas), *Le Jeu de Pascal à Schiller*, Paris, PUF, 1997.

DUFLO Colas, « Approche philosophique du jeu », in BIGREL (François) (dir.), *La Performance humaine : art de jouer, art de vivre*, Paris, Éditions du CREPS, 2006.

EHRSAM Raphaël, « À partir de Lacan : éléments d'une théorie réaliste du désir », in DUPORTAIL (Guy-Félix) (dir.), *Penser avec Lacan*, Paris, Hermann, 2015.

ERIKSON (Erik. E.), *Adolescence et crise, la quête de l'identité*, Paris, Flammarion, coll. « Champs », 1993.

EHRENBERG (Alain), *La Fatigue d'être soi*, Paris, Odile Jacob, 1998.

Bibliographie

ESCANDE-GAUQUIÉ (Pauline), *Tous selfie !*, Paris, François Bourin éditeur, 2015.

FOUCAULT (Michel), *Les Mots et les Choses. Une archéologie des sciences* humaines, Paris, Gallimard, coll. « Tel », 1966.

FREUD (Sigmund), *Au-delà du principe de plaisir*, Paris, Payot, coll. « Petite bibliothèque Payot », notes et trad. A. Rauzy, 2010.

FREUD (Sigmund), « Une difficulté de la psychanalyse », in *Essais de psychanalyse appliquée*, Paris, Gallimard, coll. « Idées », 1971.

FUKUYAMA (Francis), *La Fin de l'histoire et le Dernier Homme*, Paris, Flammarion, 1992.

GANTHERET (François), *Fins de moi difficiles*, Paris, Gallimard, coll. « NRF », 2015.

GAULÉJAC (Vincent de), *Qui est « Je » ?*, Paris, Seuil, 2009.

GENTIL (Philippe), « La mort dans les jeux vidéo », *Études sur la mort*, « L'esprit du temps » (n° 139), 2011/1.

GENS (Jean-Claude) et RODRIGO (Pierre) (dir.), *Puissances de l'image*, Éditions universitaires de Dijon, 2007.

GÉRARD (Philippe), « Qu'est-ce que la communication digitale ? », Cegos, 3 février 2014.

GODARD (Jean-Luc), « Le résumé d'*Adieu au langage* rédigé par Jean-Luc Godard », tweet du 18 avril 2014.

GODART (Elsa), *La Sincérité, ce que l'on dit, ce que l'on est*, Paris, Larousse, 2008.

GRIMALDI (Nicolas), *Le Désir et le Temps*, Paris, PUF, 1971.

GUNTHERT (André), *L'Image partagée*, Paris, Textuel, 2015.

GUNTHERT (André), « Viralité du selfie, déplacement du portrait », culturevisuelle.org, 31 décembre 2013.

GUNTHERT (André), « Le selfie, emblème de la photographie connectée », culturevisuelle.org, 21 novembre 2013.

GUNTHERT (André), «Le selfie, image iconoclaste», culture-visuelle.org, 14 février 2014.

HUIZINGA (Johan), *Homo ludens. Essai sur la fonction sociale du jeu*, trad. C. Seresia, Paris, Gallimard, coll. «Tel», 1988.

ISRAËL (Lucien), *Boiter n'est pas pécher*, Paris, Denoël, 1986.

KANT (Emmanuel), *Critique de la raison pure*, trad. et notes d'A. Tremesaygues, PUF, coll. «Quadrige», 2012.

KARDASHIAN (Kim), *Selfish*, New York, Rizzoli, 2015.

KURZWEIL (Ray), *L'Humanité 2.0.*, M21 éditions, 2007.

LACAN (Jacques), *Écrits*, Paris, Seuil, 1966.

LACAN (Jacques), *Séminaire V. Les formations de l'inconscient*, Paris, Seuil, 1998.

LACAN (Jacques), *Séminaire X. L'angoisse*, Paris, Seuil, 2004.

LACAN (Jacques), *Séminaire XVI. L'éthique*, Paris, Seuil, 2006.

LASCH (Christopher), *La Culture du narcissisme*, trad. et notes de M. L. Landa, Paris, Flammarion, 2006.

LAÏDI (Zaki), *Le Sacre du présent*, Paris, Flammarion, 2000.

LECLAIRE (Serge), *On tue un enfant*, Paris, Seuil, 1975.

LEFEBVRE (Henri), *La Production de l'espace*, Paris, Economica, 2000.

LEVINAS (Emmanuel), *Éthique et Infini*, Paris, Le Livre de poche, 1984.

LEVINAS (Emmanuel), *Le Temps et l'Autre*, Fata Morgana, 1979.

LEVI-STRAUSS (Claude), *Anthropologie structurale*, Paris, Plon, 1974.

LIPOVETSKY (Gilles) et CHARLES (Sébastien), *Les Temps hyper-modernes*, Paris, Le Livre de poche, 2004.

LIPOVETSKY (Gilles), *De la légèreté*, Paris, Grasset, 2015.

LIPOVETSKY (Gilles) et SERROY (Jean), *L'Écran global. Du cinéma au smartphone*, Paris, Seuil, 2007.

Bibliographie

LOVELUCK (Benjamin), *Réseaux, libertés et contrôle*, Paris, Armand Colin, 2015.

LYOTARD (Jean-François), « Le temps, aujourd'hui », *L'Inhumain. Causeries sur le temps*, Paris, Klincksieck, 2014.

LYOTARD (Jean-François), *La Condition postmoderne*, Paris, Éditions de Minuit, 1988.

MAFFESOLI (Michel), *L'Instant éternel*, Paris, La Table ronde, 2003.

MÉDICI (Christophe), *Homo connecticus*, Paris, Éditions Dangles, 2015.

MALDINEY (Henri), *Penser l'homme et la folie*, Grenoble, Millon, 1997.

MALDINEY (Henri), *Regard, parole, espace*, Paris, Cerf, 2012.

MALDINEY (Henri), *L'Art, l'éclair de l'Être*, Paris, Cerf, 2012.

MELMAN (Charles), *L'homme sans gravité*, Paris, Gallimard, coll. « Folio », 2005.

MENRATH (Joël) et LELLOUCHE (Raphaël), « Le selfie, portrait de soi narcissique ou nouvel outil de construction identitaire ? », *Observatoire de la vie numérique des adolescents*, 27 novembre 2013.

MERCKLÉ (Pierre), *Sociologie des réseaux sociaux*, Paris, La Découverte, 2004.

MERLEAU-PONTY (Maurice), *L'Œil et l'Esprit*, Paris, Gallimard, coll. « Folio », 1985.

MICHAUX (Yves), « Le déluge des images », philomag.com, 14 février 2013.

MOATI (Raoul), « Structure et liberté », in DUPORTAIL (Guy-Félix) (dir.), *Penser avec Lacan*, Paris, Hermann, 2015.

MONDZAIN (Marie-José), *Le Commerce des regards*, Paris, Seuil, 2003.

MONDZAIN (Marie-José), *Homo spectator*, Paris, Bayard, 2013.

MONTAIGNE (Michel Eyquiem de), *Les Essais*, tomes 1, 2 et 3, Paris, Gallimard, coll. « Folio Classique », 2009.

OVIDE, *Les Métamorphoses*, livre III, trad. et adapt. par Stanislaw Eon du Val, Paris, Gallimard, coll. « Folio Classique », 1992.

PLATON, *La République*, trad. et notes de L. Robin, in *Œuvres complètes*, Paris, Gallimard, coll. « La Pléiade », tome 1, 1950.

RAOULT (Patrick-Ange) (dir.), *Le Sujet postmoderne*, Paris, L'Harmattan, 2002.

RICŒUR (Paul), *Parcours de la reconnaissance*, Paris, Stock, 2004.

ROUQUETTE (Michel-Louis), *La Pensée sociale*, Toulouse, Érès, 2010.

RUYER (Raymond), *Éloge de la société de consommation*, Paris, Calmann-Lévy, coll. « Liberté d'esprit », 1969.

RUYER (Raymond), *La Cybernétique et l'Origine de l'information*, Paris, Flammarion, coll. « Bibliothèque de philosophie scientifique », 1954.

SAFOUAN (Moustapha) (dir.), *Lacaniana*, vol. 1 (1953-1963), Paris, Fayard, 2001.

SARTRE (Jean-Paul), *L'Imaginaire*, Paris, Gallimard, coll. « Folio », 1986.

SARTRE (Jean-Paul), *L'Être et le Néant*, Paris, Gallimard, coll. « Tel », 1976.

SCHILLER (Friedrich von), *Lettres sur l'éducation esthétique de l'homme*, trad. de R. Leroux, Paris, Aubier, 1943 ; rééd. 1992.

SLOTERDIJK (Peter), *La Mobilisation infinie*, Paris, Seuil, 2000.

SPINOZA (Baruch), *L'Éthique*, Paris, Seuil, coll. « Points », 2014.

TISSERON (Serge), *L'Intimité surexposée*, Paris, Hachette, 2003.

TISSERON (Serge), « Le risque de la mort virtuelle, les jeux vidéo », *Topique*, n° 107, L'Esprit du temps, 2009/2.

Bibliographie

TOURNIER (Michel), *Journal extime*, Paris, Gallimard, coll. « Folio », 2002.

TRINH-BOUVIER (Thu), *Parlez-vous Pic Speech, la nouvelle langue des générations Y et Z*, Paris, Éditions Kawa, 2015.

WRONA (Adeline), *Face au portrait*, Paris, Hermann, 2012.

Filmographie

BUÑUEL (Luis), *Cet obscur objet du désir*, 1977.

GODARD (Jean-Luc), *Adieu au langage*, 2014.

JONES (Terry), *Le Sens de la vie* (*Monty Python's The Meaning of Life*), 1983.

Remerciements

Mes remerciements s'adressent à Mathilde Nobécourt qui m'a réitéré sa confiance et m'a permis d'exprimer dans ce livre l'ensemble de mes convictions. Son travail éditorial est pour moi un précieux accompagnement.

J'adresse toute ma reconnaissance à Marie-Paule Rochelois qui a relu ce texte avec cœur et avec qui j'ai pu établir un dialogue fécond.

Je remercie chaleureusement Christian Hoffmann, qui rend possible le développement de mes recherches dans un cadre universitaire et dont le dialogue constant est une source d'inspiration.

Je remercie Nathalie Jarousseau et toute l'équipe de la halte-garderie de la rue Jean-Pierre Timbaud d'avoir compris la nécessité et l'urgence de l'écriture.

De nombreuses personnes ont accepté de lire le manuscrit de ce livre avant sa publication, parmi lesquelles se trouvent Jean-François Deloustal, Gilda Granet, Gilles Lipovetsky, Alexis Saget, et bien d'autres… qu'elles soient ici remerciées avec affection.

J'adresse un clin d'œil particulier, en guise de reconnaissance, au père de mon fils qui m'a inspiré le sujet du livre.

Enfin, je remercie Lahire Charlie qui accompagne avec tant de compréhension et de cœur sa maman-écrivain.

Table

DU MÊME AUTEUR

L'Être-sincère, ANTR, 2006.

Je veux donc je peux, Plon, 2007 ; Le Grand Livre du mois, 2008 ; Pocket, 2009 – traduit en polonais.

Au secours j'ai peur d'aimer (avec M.-C. Grall), Plon, 2007 ; Pocket, 2009.

La Sincérité, ce que l'on dit, ce que l'on est, Larousse, 2008.

Édith Stein, l'amour de l'autre, Éditions de l'Œuvre, 2011 ; réédition Éditions du Toucan, 2014.

Ce qui dépend de moi, Albin Michel, 2011 – traduit en coréen.

Être mieux avec soi-même, Michel Lafon, 2012.

Le Sentiment d'humanité, Éditions Ovadia, 2014.

En collaboration

Littérature et Politique, Ellipses, 2002.

La croyance, H&K, 2003.

La passion, H&K, 2004.

La science, H&K, 2005.

La justice, H&K, 2006.

Existe-t-il une Europe philosophique ?, PUG, 2006.

L'Invention de l'autre, Éditions du Sandre, 2008.

Liquider Mai 68 ?, Presses de la Renaissance, 2008.

Se connaître soi-même, pourquoi ? Comment ? L'Harmattan, 2013.

L'Arbre à souffles, Éditions Souffles, 2013.

Sous la direction d'Elsa Godart

Histoires de sincérité, L'Harmattan, 2010.

CHEZ LE MÊME ÉDITEUR

Claude Allard, *L'enfant au siècle des images*

Sabine Belliard, *La couleur dans la peau. Ce que voit l'inconscient*

Annie Birraux, *L'adolescent face à son corps*
– et Didier Lauru (dir.), *Adolescence et prise de risques*
– *L'énigme du suicide à l'adolescence*
– *Le poids du corps à l'adolescence*

Gérard Bonnet, *Défi à la pudeur. Quand la pornographie devient l'initiation sexuelle des jeunes*

Élisabeth Brami et Patrick Delaroche, *Dolto, l'art d'être parents. L'éducation, la parole, les limites*

Jean-Pierre Cambefort, *Famille éclatée, enfants manipulés. L'aliénation parentale*

Nicole Catheline, *Harcèlements à l'école*

Pr Patrick Clervoy, *Le syndrome de Lazare. Traumatisme psychique et destinée*

Maurice Corcos, *L'homme selon le DSM. Le nouvel ordre psychiatrique*

Liliane Daligand, *La violence féminine*

Dominique-Alice Decelle, *Alzheimer. Le malade, sa famille et les soignants*

Patrick Delaroche, *La peur de guérir*
– *Psychanalyse du bonheur*

Pierre Delion, *Tout ne se joue pas avant 3 ans*
– *Écouter, soigner. La souffrance psychique de l'enfant*

Joëlle Desjardins-Simon et Sylvie Debras, *Les verrous inconscients de la fécondité*

Caroline Eliacheff, *La famille dans tous ses états*
– *Puis-je vous appeler Sigmund ?*
– et Nathalie Heinich, *Mères-filles, une relation à trois*
– et Daniel Soulez-Larivière, *Le temps des victimes*

Mark Epstein, *Se libérer de la souffrance. Au-delà de nos peines quotidiennes*

Christian Flavigny, *Avis de tempête sur la famille*

Fernando Geberovich, *No satisfaction. Psychanalyse du toxicomane*

Dr Alain Gérard, *Du bon usage des psychotropes. Le médecin, le patient et les médicaments*
– et le CRED, *Dépression, la maladie du siècle*

Sylviane Giampino, *Les mères qui travaillent sont-elles coupables ?*
– et Catherine Vidal, *Nos enfants sous haute surveillance : évaluations, dépistages, médicaments...*

Claudia Gold, *À l'écoute des émotions de l'enfant. Chagrins, angoisses, colères et autres problèmes du quotidien*

Roland Gori et Pierre Le Coz, *L'empire des coachs, une nouvelle forme de contrôle social*

François Grosjean, *Vivre plusieurs langues. Le monde des bilingues*

Jean-Michel Hirt, *L'insolence de l'amour. Fictions de la vie sexuelle*

Philippe Hofman, *L'impossible séparation entre les jeunes adultes et leurs parents*
– *Le chien est une personne. Psychologie des relations entre l'humain et le chien*

Patrice Huerre et François Marty (dir.), *Alcool et adolescence, jeunes en quête d'ivresse*
– *Cannabis et adolescence. Les liaisons dangereuses*

Jean-Marie Jadin, *Côté divan, côté fauteuil. Le psychanalyste à l'œuvre*

Simon-Daniel Kipman, *L'oubli et ses vertus*

Didier Lauru, *De la haine de soi à la haine de l'autre*

Pierre Le Coz, *Le gouvernement des émotions et l'art de déjouer les manipulations*

Pr Daniel Marcelli, *La surprise, chatouille de l'âme*
– *L'enfant, chef de la famille. L'autorité de l'infantile*
– *Les yeux dans les yeux. L'énigme du regard*
– *Il est permis d'obéir. L'obéissance n'est pas la soumission*
– *Le règne de la séduction. Un pouvoir sans autorité*

Anne Marcovich, *Qui aura la garde des enfants?*

Jean-Paul Mialet, *Sex æquo. Le quiproquo des sexes*

Gustave Pietropolli Charmet, *Arrogants et fragiles. Les adolescents d'aujourd'hui*

Xavier Pommereau, *Ado à fleur de peau*
– *Ados en vrille, mères en vrac*
– et Jean-Philippe de Tonnac, *Les mystères de l'anorexie*
– *Le goût du risque à l'adolescence*

Laura Pigozzi, *Qui est la plus méchante du royaume? Mère, fille et belle-fille dans la famille recomposée*

Jean-Jacques Rassial, *Pour en finir avec la guerre des psys*

Élise Ricadat et LydiaTaïeb, *Rien à me mettre! Le vêtement, plaisir et supplice*

Renata Salecl, *La tyrannie du choix*

Serge Tisseron, *Comment Hitchcock m'a guéri. Que cherchons-nous dans les images?*
– *Vérités et mensonges de nos émotions*
– *Virtuel, mon amour. Penser, aimer, souffrir à l'ère des nouvelles technologies*
– *L'empathie au cœur du jeu social*
– *Fragments d'une psychanalyse empathique*
– *Le jour où mon robot m'aimera*

Saverio Tomasella, *La folie cachée. Survivre auprès d'une personne invivable*

Jean-Philippe de Tonnac, *Anorexia. Enquête sur l'expérience de la faim*
Yvane Wiart, *L'attachement, un instinct oublié*
Jean-Pierre Winter, *Homoparenté*

Composition : IGS-CP
Impression : CPI Bussière en avril 2016
Éditions Albin Michel
22, rue Huyghens, 75014 Paris
www.albin-michel.fr

ISBN: 978-2-226-32003-2
N° d'édition: 21940/01 – N° d'impression: 2020720
Dépôt légal: mai 2016
Imprimé en France